言うこと聞かない！
落ち着きない！

男の子のしつけに悩んだら読む本

元保育士・こどもコンサルタント
原坂一郎

すばる舎

はじめに

子どもはだれでも頭の中で1日1000個くらいのことを考えています。

5歳の子どもはもちろん、0歳の赤ちゃんでもです。

大人と同じです。

大人と違うのはそれを口に出さないことです。

じつは私は、子どもの心の中の声が聞こえるという、不思議な能力が昔からありました。

ホントです（笑）。

それで保育士という道を選びました。

保育の世界で子どもの心の声を聞いてみると、子どもたちにはたくさんの言い分があるということがわかりました。

もしも仮に3歳の子どもに講演会をしてもらったら、それを聴いた人たちは、感動のあまり、たくさん涙を流すだろうなと思います。

と同時に、たくさん反省もするだろうなと思いました。

でも、子どもたちは講演会なんてやってくれません。

そこで、僭越ながら、子どもの声が聞こえるこの私が、子どもたちに代わって、子どもの声を伝えようと思いました。

23年間過ごした保育の世界を飛び出したのには、そんな理由がありました。

子どもたちの中でも、もっともその代弁者になってあげたいなと思ったのが、「男の子」です。

ああ、かわいそうに、女の子よりももっとわかってもらえていない、と思ったからです。

男の子たちから聞こえた声は、たとえばこんな声でした。

「おかあさん、そんなにぼくをおこらないで」

「ぼくのすることってそんなにこまることばかり？」

「そんなにしつけってたいせつ？」……

聞こえたものを男の子に代わって書いてみたいなと思いました。

男の子の代表になったつもりで書いてみました。

ぜひ聞いてやってくださいね。

トォーッ
ほら
信号青よ！
行っちゃうよ
スピーン
ジャンプ!!
ジ〜…
いちいち
危ないこと
しないと気が
済まないのね
ねーお母さんは
おっぱいある？
こら
あるけど
ちょっぴりだよね
……
スーパー
オトク
ちゃんと
つかまっ
て…
おー進まない
うひゃひゃひゃひゃ
あ…
あ〜！
あーっ
これ!!
今日の晩ごはん
お魚にしようか？
かって
ドギューン
ライダー

それ1個だけだよ
聞いてる?
ははは…
あーっ!
さ、急いで帰ってごはんにしようね
新しいガイガメダーのガチャポンだーー!!
お母さん1回だけー1回だけー
ダメ! さっきおかし買ったでしょ
わーんかってかってー
お母さんひとりで帰るよ!
わーん。ぎゃーぎゃー
ったくもー買い物に来るだけでコレ…どうしたらいいの?
まあまあお母さん
男の子を育てるのはたしかに大変だと思いますが
お母さんの考え方ひとつで「男の子って楽しい」に変わります!
原坂一郎(著者)

CONTENTS

第2章 男の子がのびのび育つ「しつけない」しつけ

きゃはは
早ーい。

第3章 親が5％変わるだけで、子どもは50％変わる！

第4章

「男の子がいる楽しさ」はこれだ！

第5章 子育てがラク〜になる、ちょっとした考え方

わーつめたーい
冷凍食品

装丁・本文デザイン―齋藤知恵子／イラスト―齊藤恵／編集協力―増澤曜子

第1章

男の子の「しつけ」は タ〜イヘン!?

男の子の母親にやってくる「もうっ！」「あ～あ」の毎日

★女の子と比べて育てにくい？

「子育ては楽しい」とよく言われます。

しかし、「子育ては大変だ！」ともよく言われます。

どちらも正しいと思うのですが、現在その「楽しさ」よりも「大変さ」をたくさん感じているのが、男の子を育てているお母さんだと思います。

男の子を育てていると、たしかに大変なことはたくさんやってきます。男の子一人育てているだけで、毎日、もうヘトヘトに疲れているお母さんもいらっしゃることでしょう。

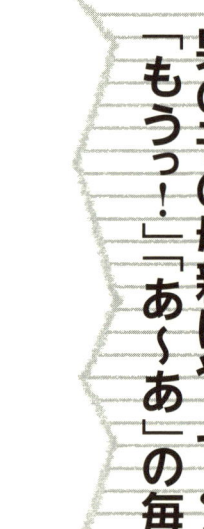

女の子を育てるのも大変だと思いますが、同じ大変でも男の子の大変さは、女の子のそれに比べて、その種類も程度も全然違いますよね。

一人目が男の子で、二人目が女の子だったお母さんは異口同音に言います。「女の子の子育てって、こんなにラクだったんだあ」。

それが逆、つまり一人目が女の子で二人目が男の子だったお母さんは、それこそ大変です。「うわ！　なにこれ。上の子のときはこんなことなかったのに〜」。

二人目だからきっとラク！の思惑は外れ、いまだかつて経験したことのない、上の子どもを育てていたときにはやってこなかった大変さを、イチから味わわなければならないのです。

その結果、男の子を育てているお母さんは、本当は言いたくもない次の5つの言葉を、毎日言わなければならなくなります。

「こらっ！」「やめなさい！」「ダメでしょ！」「もうっ！」「なにしてるの！」

私は、これを「〝子育てはタ〜イヘン〟言葉」と呼んでいます。

「男の子を育てているお母さんと、女の子を育てているお母さんの、その大変さの違いを、何か数字で表せ」と言われたら、私はその5つの「〝子育てはタ〜イヘン〟言葉」を使う回数が違う、と答えます。

そう、今育てているのが男の子か女の子か、というだけで、その言葉が一日の中で出る回数が、ぜ〜んぜん違うのです。

その5つの言葉のどれかを使う回数は、**1〜5歳くらいの男の子のお母さんで平均100回、同じく1〜5歳くらいの女の子のお母さんで平均30回ほど**でしょうか。ひと月当たりではありませんよ。1日当たり、です。

「あ〜あ、やっぱり〜」とため息をつかれたお母さん。ご安心ください。

この後を読めば、明日からは必ずその5つの言葉は半減します。いや、おそらく4分の1くらいに減っているはずです。女の子をお持ちのお母さんよりも少なくなるのです。

「大変さ」ばかりが目立っていた男の子の子育ても、いつのまにか「楽しさ」の方が勝り、お母さんのその素敵な笑顔がうんと増えることでしょう。

うちの子、どうしてこんなことばかりするの!?

★「これが男の子だ！」――その10の特徴

まずは、22ページからの図表を見てください。男の子とはどんなものなのか、その特徴をまとめました。実際にはもっとありますが、多くの男の子に共通する、もっとも代表的な特徴です。

急に道路に飛び出したり、わざわざ水たまりに入ってズボンを汚したり、さっき怒られたことをすぐにまたしたり……。

そんな、お母さんからすると理解不能なことばかりする男の子。それは、もともとこういう性質があったからなんですね。

これが男の子だ!

とにかく動くのが好き。動くものに惹かれる

（だから…）じっとしていられない、すぐに駆け出す、動く乗り物が大好きetc.

冒険的なことが好き

（だから…）すぐに高いところに登る、危ないことをする、どこにでも入る・潜るetc.

自分の操作で物が動いたり音が出たりするのが好き

（だから…）水たまりをわざとバシャバシャ、拾った棒でカンカンする、エレベーターなどのボタンをやたら押しまくる、機械類が好きetc.

何でも触って確かめたい、構造や仕組みを確かめたい

（だから…）触ると熱いものも触る、スーパーで食品を触る、食事中にコップの裏を見る、スイッチ類をいじるのが好きetc.

「したい」と思ったらせずにはいられない、後先考えない

（だから…）さっき怒られたことをすぐにまたする、危ないとわかっていてもするetc.

強い物が好き、
自分が一番になりたがる

（だから…）ヒーロー物が好き、すぐに先頭に行く、先に取る、みんなよりも高い所に上がろうとするetc.

荒っぽいこと・
破壊的なことが好き

（だから…）暴力的な特撮・アニメ、格闘技が好き、他の子の積み木を倒す、喧嘩で暴力が出るetc.

ふざけること・
品のないことが好き

（だから…）すぐにシモネタワードを言う、下品な流行語を好んで使う、すぐ裸になるetc.

汚いことを汚いと
思わない、気にしない

（だから…）服が汚れても平気、すぐに地面を指で触る、トイレのあと手を洗わないetc.

一人でも平気、
おたく傾向がある

（だから…）一人遊びが多い、好きなことに没頭する、聞かれないと言わないetc.

男の子の子育てがタイヘンな理由

★父親があまり叱らないのは「気にならない」から

前項の「これが男の子だ！」を見て、「そうそう、うちの息子もこうだわ」と納得されたお母さんが多いと思います。いつもあちこち動き回って、道に落ちている木の枝など、母親にとっては「ヘンなもの」が大好きで、すぐにふざける。「どうして、こんなことするのかしら」と疑問に思うお母さんも多いでしょう。

男の子を理解する、ひとつのヒントがあります。お父さんです。普段、お父さんはお母さんほど子どもを叱ったり、小言を言ったりはしていないと思いますが、どうしてだと思いますか？

一緒にいる時間が短いからでしょうか？

私は違うと思います。

たとえば、男の子を公園に連れて行き、1時間遊ばせたとします。先ほどの「こらっ！」「やめなさい！」「ダメでしょ！」「もうっ！」「なにしてるの！」の5つの言葉を、お父さんはほとんど言わないはずです。言ったとしても、おそらくお母さんの10分の1ぐらいでしょう。

同じ男の子が公園で1時間、同じように遊んでいても、お父さんとお母さんでは叱る回数がまったく違う。ここに大きなポイントがあります。

つまり、見方や感じ方が、最初から全然違うということです。

ということは、見方や感じ方さえ変えれば、それほど叱らなくてもすむかもしれないのです。

男性は男の子が何をしても、女性ほど大変だとは思わない、気にならないのです。

これは、私の経験からも言えます。

私は、23年間保育士として働きましたが、同僚はほとんどが女性でした。男の子が多いクラスの担任になると、女性の同僚は誰もが「大変だわ」と言っていました。少なくとも「ヤッター！　男の子ばかりだ！」とは言いません。

でも私は逆でした。それこそ「ヤッター！」です。正直、あんなにかわいい男の子の何が大変なのか、よくわからなかったのです。

それは、私が男性なので、同性である男の子の振る舞いを、まったく違和感なく受け入れていたからだと思います。女性である同僚にとっては、異性である男の子の行動は、しばしば想定外であり、過去の経験から言っても、起こるのは大変なことばかりで、「大変だわ」と言ってしまったのでしょう。

★女性にとっては、男性すべてが理解を超える存在

男の子を育てることが大変であるという前に、そもそも女性にとっては「男性」そのものが大変なのだと思います。

1歳の幼児だろうと80歳のおじいさんだろうと、女性にとってはすべての男性が自分の許容範囲外の行動ばかりとる大変な存在になるようです。とくに、彼らと生

活的な部分を共にしたときは。

「あなたのストレスのもとは何ですか?」というアンケートで、主婦にとっての第1位は「夫」だったという話を聞いたことがあります。男女が共に生活をすれば、私に言わせてもらえば男はごく普通にしているだけで、女性から叱られるのです。

ご近所のあの素敵なご主人も、あのイケメン俳優も、もしも一緒に生活したならば、きっとイライラとストレスのもとになるようなことばかりをやってくれるのは、もう間違いありません。


女性ならイライラする男性のその行動を、男性同士ならばほとんど気にしません。


靴が散らかろうが、脱いだ服をそのままにしていようが、気にならないというか、まったく気づかないときもあります。もちろんイライラもしません。

どうやら女性と男性とでは、その行動も考え方も価値観も、もうすべてが全然違うようです。男女は体の構造も違いますが、じつは心の構造もぜ～んぜん違っているのです。

「男の子はこういうもの」と思えればラクになる

★お母さんを困らせようという気は全然ありません

この男女の心の構造の違いは、そのまま行動の違いとなって、1歳前後の、ハイハイをする頃からもう明確に現れてきます。この時期からもはや男の子は、女の子とは違って、変な?冒険心、探究心が旺盛になってくるようです。

そのため、すぐにいろんなところへ行きたがったり、手当たり次第にものを触ったりすることがあります。でも、そういうところが、お母さんにとってはもう「困ること」なんですよね。

地面はすぐに触るし、水たまりはわざと踏みに行く。死んだ虫だろうが、腐った落葉だろうが、興味の持ったものはすぐに触りに行く。

でも、別にお母さんを困らせようとしているわけではないのです。男の子独特の「やってみたい」「どうなるか確かめてみたい」という好奇心や冒険心から、ついやってしまうだけなのです。

お母さんにしてみたら、そんな目に見えない「男の子の気持ち」よりも、「とにかく困る」の方が勝ってしまい、それでつい、「もうっ!」「やめなさい!」となってしまうようです。

保育士として23年働き、家庭では二男一女をもうけ、これまでたくさんの子どもたちを見てきて気づいたことですが、男の子は**とにかく何でも自分が興味を持ったこと、そうしたいと思ったことは後先考えず、すぐに行動に移してしまう**傾向があるようです。

一方、女の子はそれをすることによって、何か自分にまずいことが起こらないかどうかを確認してから行動に移すところがあるようです。

かわいい葉っぱが落ちていても、指が汚れそうなくらい汚なければ拾わない。何かをするときでも、まず誰かがするのを見てから、する。

そのため、男の子のように、汚かろうが触ってはいけないものであろうが、すぐに触るということが少なく、何でも自分が先にやりたがる、ということも女の子はうんと少ないように思います。

でも、その「何でもやたらと触りまくらない」「『後先考えず、したいと思えばすぐにする』がない」というだけでも、「女の子はずいぶん落ち着いている」ように見えることがあります。

男の子を持っているお母さんは、女の子のそういうところをうらやましく思っているかもしれません。

でも、**女の子は「触りたいけれど我慢している」のではなく、「触りたいとも思わない」から触らない**のであって、しつけが行き届いているから触らない、というわけでは決してないのです。

★「せずにはいられない」気持ちを受けとめて

このように、男性と女性では、ものの見方や感じ方はもちろん、気になるところやものごとの優先順位など、もうすべてが異なり、それがそのまま行動の違いとなって現れてくるようです。

私はまず、お母さんたちがこの違いを認めることが、「男の子って大変！」がラクになる一番の近道だと思っています。

「大変」で言えば、私たち男性保育者（&父親族）にとっては、女の子の扱いの方こそが、よほど大変だと思うことがよくあります。

メソメソしやすい、意外なことにへそを曲げる、見た目とは違った心の中、複雑な友達関係……と、もうわけのわからないことがたくさんあります。

でも、私はそれが女の子だと思い、どんなことが起こっても、どんなに困ってもそれを丸ごと認めることで解決され、それがイヤだとか苦労だとか思ったことは、じつは一度もないのです。

保育者なら必ず学んだ「保育原理」という科目の中に、保育者の心得でもっとも大切なものとして「受容」があげられています。

受容とは、受け入れること。ありのままを認めることです。

男の子か女の子かに関係なく、家庭か保育園（幼稚園）かにも関係なく、とにかく**子どもと向き合う人間に一番大切なものは、まさにこの「受容」**だと思います。

これができるかできないかで、保育も子育ても、そのやりやすさはずいぶん違ってくるのです。

男の子をお持ちのお母さん方も、まずは、わが子の姿や行動のすべてを丸ごと認める、この「受容の原理」を子育てに取り入れていただくことをオススメします。

それだけでもずいぶん気分がラクになり、イライラすることもなくなり、叱る機会もうんと減っていくように思います。

男の子の困った! Q&A

Q 落ち着きがなく、とにかくじっとできません。せめて公共の場だけでもおとなしくしてほしい!(3歳)

A 今が踏ん張りどき。2年後は必ず解放されています

今が一番ややこしい時期ですね(笑)。

いわゆる「きかん坊」と言われる時期は、2歳後半から4歳までです。5歳を過ぎると、男の子はずいぶん落ち着き、今よりもうんと聞き分けがよくなってきます。その時期を気長に待ちましょう。

落ち着きがないというのも子どものひとつの個性です。それを受けとめながらも、しかし、そのつど繰り返し注意だけはしておきましょう。

叱ることはありません。やさしく言うだけでも十分効果はあります。

とくに公共の場でだけは欠かさず言っていくようにすると、子どもなりに、注意される場所の共通点がわかってきます。

世間の人たちが気になるのは、公共の場で静かにできない子どもではなく、そこで注意も何もしない親の姿です。

親が注意をしている姿を見ると、かえって微笑ましい目で見てくれるものです。

男の子は厳しくしつけないとダメ？

★こんなにやんちゃで、しつけができるの？

「男の子のことは丸ごと受けとめましょう」「ありのままを認めましょう」と言っても、なんでもやりたい放題に好きにやらせておけばいいというわけでは、もちろんありません。

たとえば、外から帰ってきたら手を洗う、騒いではいけない場所では騒がない、お友達にはやさしくする……など、一人の人間として身につけてほしいこと、覚えてほしいことはたくさんあります。いわゆる「しつけ」ですね。

実際、この本を手にとってくださったお母さんも、子どものしつけをちゃんと考えている、あるいは実行中という方が多いでしょう。しかし、ちっとも言うことを聞かないわが息子。しつけようとしても、さっぱりうまくいきません！というお母さんも多いのではないでしょうか。

お片づけもしなければ、ご挨拶もちゃんとできない。公共の場ではじっとしていられず、小高いところはどこでもすぐ登る。食事をすれば遊び食べ、友達と遊べばトラブル続き……。

昔から、お母さんの子育ての一番の悩みは、この「しつけ」だと言われています。子どものしつけは、時代を越えた永遠のテーマです。

★しつけとは「教える」こと

ところで、「しつけ」とはいったい何でしょう。

辞書で調べると「礼儀作法（を教え込むこと）」とあります。一般的には、「社会で生きて行くうえで最低限必要なルールやマナー」「人として身につけておきたい事柄」などと考えられています。

人によって、その具体的な中身はまちまちですが、世のお母さん方が願う「わが子がちゃんとできるようになってほしい項目」は、だいたい同じです。そして、それはたいていの場合、そう望んで当然のものばかりです。

お片づけができるようになることも、図書館や病院では静かにすることも、お友達とは仲良く遊ぶことも、どれもとても大切なことです。それらをきちんとできるようになってほしいと思うお母さんの気持ちは、大正解なのです。

ただし、ひとつだけ、押さえていただきたいポイントがあります。

それは、しつけとは、辞書にあるように「教え込む（教える）」ことであり、「今すぐ実行させる」ことでは決してないということです。

★今すぐできるかどうかは重要ではない

教えるとは、「それはダメ」「これはこうするものよ」というメッセージを伝えることです。**極端に言ってしまうと、その場で子どもの行動が変わるかどうかは関係**

ないのです。

伝えた時点で、すでに「しつけ」は実行されているのです。

食事のときに「いただきますしようね」と言って、たとえ子どもが何も言わずに食べ始めてしまっても、「ご飯を食べる前には『いただきます』と言うもの」ということは伝えられたのですから、十分しつけはできているのです。

しかし、今すぐ実行させよう、その場で行動を改めさせようとすると、どうしても厳しく叱りつけることになってしまいます。

「やめなさい」と言ったことを子どもがやめなければ（たいていの場合やめないのですが）、「やめなさいと言ってるでしょう！」と怒ることになります。「こうしなさい」と言ったことができなければ、「どうして、ちゃんとできないの！」と責めることになります。

生まれてまだ数年しか経っていない子どもは、知らないことやできないことがたくさんあって当たり前です。未熟な今はまだ、できなくてもいいのです。

今はできないが、近い将来はできるようになる……。それでいいのです。そうなるために、その場その場で本当はどうすべきだったかを「教える」。何がよくて何が悪いのかを伝える。

その連続で、もうそれはすばらしい「しつけ」になっています。

そんな「しつけ」をし続けたならば、その成果は今その場では現れませんが、早くて明日、遅くとも来年、必ず現れてきます。

たしかに厳しく叱れば、とりあえずその場は改まるかもしれません。しかし子どもは明日も同じことをします。来年の今頃はしなくなるどころか、もっと叱らないとできなくなります。

今はまだ、少々お行儀が悪くってもいいのです。ちゃんとできなくってもいいのです。でも将来はできるよう、今、正しいこと、すべきだったことを教える、伝える。それでいいのです。

まずはここをスタートとしてほしいと思います。

叱らなくても、しつけはできます

★穏やかに、繰り返し言うだけでいい

世の中には、「しつけ＝厳しく言うこと」だと思っている人が、ずいぶんたくさんいます。子どもを強く叱っている母親は、「あのお母さん、ちゃんとしつけているわ」「親も大変ね」などと好意的に見られることが多いようです。

そのため、人前では必要以上に子どもをきつく叱ってしまう、というお母さんも多いでしょう。

けれども、厳しく叱らなければしつけができない、ということは決してありません。それどころか、穏やかに言われ続けた子どもの方が、結果的にちゃんとしつけ

られていることが多いのです。

私がバス通勤をしていたある日のこと。バスに乗り込んだ3歳ぐらいの男の子が、通路をウロウロと走り回っていました。

そのお母さんは、

「何してんの！　そんなとこいたら邪魔でしょ！」

と大きな声で叱り、強引に子どもの手を引いて座席に座らせました。

その次の日、今度は4歳くらいの男の子が乗り込み、やはり通路をいつまでもウロウロ歩くという、偶然まったく昨日と同じようなシチュエーションになりました。

でも、そのお母さんは、

「みんなの邪魔になるよ。こっちへおいで」

と、穏やかな口調で息子を呼び、自分の隣に座らせました。

前者のお母さんは一見、いかにも「ちゃんとしつけている」ように見えるかもしれません。

でも、あの男の子は、とりあえず怒鳴られたからウロウロしなくなり、手を引っ張られたから座っただけで、いずれも納得して自分の意思でしたわけではありません。きっと次の日も同じことをします。

もしくは、そんなふうに怒る人がいない場面、たとえば親戚のおばさんと乗ったときなどには、また同じことをします。

一方、ウロウロしていたら「みんなの邪魔になる」ことを教えられ、こっちへ、と呼ばれて自分でちゃんと席に座ったあの男の子は、次からは、ウロウロせずに席に座る確率は、前者の男の子の何倍も高くなります。**その場に怒る人がいなくても**です。

★きつく怒るのは「絶対にダメ」なことをしたときだけ

先に述べたように、しつけとは「教える」ことです。「教える」ために、きつい言葉遣いをすることも、声を荒げることも、こわい顔を見せる必要もありません。

とはいえ、もちろん時にはきつく叱らなければならないときもあります。

私は保育士時代、子どもを口うるさく叱ったり、大声で怒鳴ったりはめったにしない方でした。それでも、年に数回は大声で厳しく叱ることがありました。

それは、やはりすべて男の子だったのですが、跳び箱の上に立った友達の足をわざとすくったり、目の前で転んだお友達をふざけてわざわざ三輪車でひこうとしたときなどです。あまりなかったからこそ、今でも覚えています。

つまり、たとえ子どもでも絶対にしてはいけないことを、いけないことと知っていながらした場合です。

しかし、そんなことはめったに起こりません。めったにないから、めったにそんなふうに怒ることもなかったのです。

子どもがしでかすことは、少々大人が困ることであっても、たいていはきつく叱るまでもないことです。牛乳をこぼしてしまった、熱い鉄板を触ってしまった、おねしょをしてしまった……。

まだ人生経験が少なく、単に経験のなさ、単なる「無知」からしてしまった「過失」であることがほとんどです。確信犯ではないのです。

しつけにおいても、それは同じです。

近所の人にご挨拶ができないのは、単に恥ずかしかったり、挨拶の重要さがまだわかっていないためです。走ってはいけない場所で走ってしまうのは、ただ走りたかったから。**周りの人やお母さんを困らせてやろうなどという気持ちは、みじんもない**のです。

ですから、きつく叱らなければならない場面はほとんどない、と考えてもらっていいと思います。普段と変わらない、穏やかな口調で教え諭す。そして、それを繰り返す。

それで十分、「子どもをしつけようとしている立派なお母さん」なのです。

あきらめず言い続けると、男の子は大変身する！

★5歳になると見違えるほど落ち着きます

しつけは気の長い話です。たった一度の教えで、即座にいい子になる子どもはいません。

とくに2歳くらいまでの子どもは、生まれついた気質によって動いていることが多いので、乱暴な言い方をすればしつけてもしつけなくても2歳までは、その行動は一見あまり変わらないように見えると思います。

しかし、乳幼児のうちから、あきらめず、穏やかに何度も言い続けること、教え続けること、それが大切なのです。その努力は**子どもが3歳になった頃から、必ず**

報われ始めます。

子どもなりの常識というものも自然に身につき、怒ってばかりのお母さんにならずにすむ男の子になっていくのです。

そして、５歳になる頃には、見違えるほど落ち着きとやさしさを持った男の子に成長していることでしょう。

もちろん、すでに息子さんが３歳、４歳になっていたとしても大丈夫。

「あまりちゃんとしつけをしてこなかったら、もう手遅れかしら……」などとあきらめることはありません。逆に、「これまで厳しく叱りすぎてしまっていたかも」というお母さんも大丈夫。これから変わればいいのです。

しつけは、しようと思ったときがスタートです。

次章から、「教える」しつけとはどういうものか、具体的に見ていきます。困らされることも多いけれど、元気のよさは男の子の最大の長所。その長所を消さず、のびのびまっすぐ男の子を育ててあげてください。

Q すぐに危ないことをします。毎日ヒヤヒヤです。小高い所はすぐ登る、滑り台は逆滑り……。いつか大ケガしそう（4歳）

A 「危ない」という基準をうんと下げてみてください

男の子はたしかに危ないことをよくします。

やはり女の子に比べ、男の子はスリルに富んだこと、冒険心を満たしてくれるものに惹かれるようです。

でも、お母さん方をよく見ると、それが別に危なくも何ともないことにまで「危ない」と言っていることが多いように思います。同じことをよその子どもがしても危ないとは思わないのに、わが子がしたら危なく見えるのです。

「ケガをしてこそ子どもも注意するようになる」「傷は男の子の勲章」という考え方には、私も反対です。それが小さなケガで終わるとは限らないからです。

子どもが危ないことをしているとき、注意をすることはやはり大切です。

ただ、その「危ない」の基準をうんと下げ、「他の子どもがしていても注意をする」レベルのものから注意をするといいと思っています。

第2章

男の子がのびのび育つ「しつけない」しつけ

男の子の行動が劇的に変わる「しつけない」しつけ

★押さえつけずに、自分からやろうと思わせる方法

世間一般では、「しつける」とは「厳しく言って聞かせる」ことのようにとらえられています。けれども、第1章で述べたように、しつけとは「教えること」「(穏やかに)伝えること」です。

厳しく言って聞かせなくても、しつけはできます。こわい顔を見せる必要もありません。

「そうはいっても、男の子はやっぱりある程度は強く叱らないと、言うことを聞かないんじゃない？」と思う方もいるでしょう。

違うのです。子どもはみんな、ちゃんと親の言うことに耳を傾け、行動を変えていく力を持っています。親のやり方次第では。

そう、上手なしつけができるか否かは、じつは１００％親がカギを握っているのです。**子どもにさせるものはひとつもありません。**

本章では、厳しくしなくても、子どもの行動が知らぬ間に変わっていく方法をご紹介します。題して「しつけない」しつけです。

一見、しつけらしいことは何ひとつしていないように見えます。けれども、最終的には「ちゃんとしつけられた子」のようになる、魔法のテクニックです。

でも、どれも今すぐできることばかり。

簡単なのに効果は抜群です。

ぜひ、お試しください。

「しつけない」しつけ①

「10回言って改まったらラッキー」と思う

★2、3回は言ったうちに入らない

人は、同じ言葉を何度も言わなければならないことを嫌います。お店の注文は1回で聞いてほしいし、言い直すにしても2回が限度です。

相手が子どもでも同じです。

親は子どもに同じことを2回も3回も言うのはイヤなのです。言わないといけないときは、「この前も言ったでしょ！」「もうっ！　何回言ったらわかるの！」と文句のひとつも添えないと、3回言わされたストレスは消えません。

でも、困ったことに、2回や3回言われてもわからないのが子どもです。

では、何回言われたらわかるのかと聞かれたら、私は「それは10回以上です」と答えます。

一度言ったらわかってほしい、と思うお母さんの気持ちもよくわかります。でも、考えてもみてください。

もしも子どもがたった一度言われただけで理解でき、言われたことを言われたとおりにできたなら、**5歳ごろにはもう神様のような存在になっている**はずです。

人は何度も言われて、それが頭の中に蓄積され、だんだんわかってくるのです。

それが「教えてもらう」ということです。

たとえば初めて行ったテニス教室で、その日はボレーを習ったとします。

コーチが「ラケットは地面に対して垂直に立てます」と教えます。生徒はそれを聞いて垂直に立てます。一回聞いただけでできます。しかし、その数分後、もう斜めに持っているかもしれません。

コーチはまた言います。

「地面に対して垂直に持ってくださ～い」

「はーい」

でも、コーチが気がつくと、またまた斜めに持っていたり上に向けていたり……。コーチは同じことをもう一度言います。その日だけでもコーチは10回は言っているはずです。きっと来週も言っていることでしょう。同じことを何回も……。

★気長に、繰り返し教える

子どももそれと同じなのです。1回言われたくらいでは改まらないのです。ちゃんとできないのです。

テニスの生徒も10回も言われたらさすがに覚えるでしょう。でも、それは10回言われたからこそできるようになったのです。もしも最初の1回きりだったら、すっかり忘れ、きっと今でも斜めに持っています。

仮に10回言われてやっとできたとすると、それは、**それまでの9回があったからこそ、その10回目がやってきた**のです。

それまで9回言ったことはムダではなかったのです。

仮にそのコーチが、この人は言ってもダメだと、3回目くらいでもう何も言わなくなったとしたら、当然その10回目はやってきません。その生徒はいつまでも斜めに持っていたことでしょう。言い続けた甲斐はあったのです。

「しつけ」とは「教えること」でしたよね。

ひとつのことを何回も言い続ける……。

必ずわかってくれるときが来ます。

必ず言われなくてもやってくれるようになります。

今できなくても、今日できなくても、言い続けてさえいれば、教え続けていさえすれば、早ければ明日、遅くても1年後にはできるようになっています。

2回や3回は言い続けたうちには入りませんよ。

少なくとも10回。多ければ100回です。

でも、大人でも教わる内容によっては100回言われなければできないものがたくさんあります。

それでいいのです。

100回なんてすぐです。

ただし、教えるときの言い方というものが、じつは大きなポイントになります。

さっきのテニスのコーチも、もしも2、3回目で、

「もうっ！　何回言ったらわかるんだ」

「ラケットは立てろって言っただろ！」

「またあっ！　もうっ！　しまいには怒るよ！」

などと言いながら教え続けたのなら、生徒はその場で泣くか、家に帰るかのどちらかだったでしょう。

9回目のときでさえ、やさしい言い方、怒鳴らないでごく普通の言い方で言ったからこそ、その生徒はできるようになったのです。

つまり、全然厳しく叱ったりはしていないのに、穏やかに言い続けただけで、しつけは完了したわけです。

「しつけない」しつけ②

しないときに叱るより、したときに褒める

★褒められたことはもう一度する気になる

「こらっ！　また靴を散らかして脱ぐ！」

玄関から上がった子どもに毎日言っていませんか？

でも、そんな子どもでも、たまには揃えて脱ぐときもあります。そのときに褒めるのです。

親は普段、子どもがとんでもないことや親が困ることをするたびに叱っていると思いますが、きちんとやったときは何も言っていないことが多いものです。

逆です。

たとえそれがたまたまであったとしても、きちんとできたときに褒めるのです。するとと子どもは、その行為が認められるもの、やるべきものということを知ります。つまり、その時点でもう立派なしつけができているのです。

しないときは、「それはダメ、○○するのよ」と軽く教え込むくらいにし、したときに欠かさず褒める。

して当たり前のことでも褒める。

一見当たり前のように思える「靴を揃えて脱ぐ」というのも、本当はそのつど褒められるべきすばらしいことなのです。それができないで悩んでいるご家庭も多いのですから。

その他たとえば、いただきますと言えた、トイレの後きちんと手を洗った、となりのおじさんに挨拶ができた……など、普段から、しないときに叱るのではなく、少しでもできたときに褒める習慣をつけていると、あっという間に習慣化します。

子どもは褒められたことは繰り返す癖があるからです。

ただいま！
こら また！
バタバタ
あら！
ちゃんとそろえて脱いだね！
えへ…

★「えらいね」「すごいね」まで言わなくていい

褒めると言っても、いちいち「えらいね」「すごいね」「上手ね」と言うのではありません。その行為をそのまま口にするだけでいいのです。

さっきの例では、**「靴を揃えてえらいね」ではなく、「ちゃんと靴を揃えたね」でいい**のです。

「ご挨拶できてえらいね」ではなく、「ちゃんとご挨拶できたね」でいいのです。

これなら、周りの人が見ても、「あの人、自分の子どもを褒めすぎ」なんて思いません。子どもにいちいち「すごいね」「かしこいね」と言っていればそう思われるかもしれませんが、「ちゃんとできたね」なんていうのは、周りから見ても、ごく普通の言葉だからです。

なのに効果はてきめんです。

子どもが望ましいことをしたときは、その行動をそのまま口にする……たったそれだけでも、立派なしつけになっているのです。

男の子の困った！Q&A

Q することが荒っぽく、すぐ友達を叩いたり、ものを放ったり……。このまま大きくなったらどうしようと心配です（2歳）

A 今は親が代わりに謝り、子どもにはきちんと伝えておく

女の子に比べて、男の子はたしかに行動が粗野で荒っぽい子が多いようです。

もちろん女の子の中にもいますが、その数は男の子とは比べものになりません。

でも、「男の子は荒っぽいくらいがいい」とよく言われるように、世間はあなたが思うほど、目くじらは立てていないものです。気になるのは母親だけかもしれません。

この時期は、言ってもすぐには改まりません。が、言っておく、伝えておくことは大事です。

今、この時期だからこそ、そのつど、それがダメなことはきちんと伝え、叩いてしまった相手には、しばらくは子どもに代わって親がしっかり謝る……。

それをしておくかおかないかで、1年後2年後の子どもの姿は大きく違ってきます。

「しつけない」しつけ③

叩かない

★子どもは体ではなく「言葉」で学ぶ

「男の子は叩いてしつけるぐらいでちょうどいい」

「何度言ってもやめないときは、体罰もやむを得ない」

男の子のお母さんをやっていれば、一度ぐらいは、そういう意見を聞いたことがあるかもしれません。けれど、それは信じないでください。

人を動かす方法として、暴力はたしかに即効性があります。手っ取り早いのです。

でも、それで言うことを聞いたとしても、聞いた理由は「叩かれるのがイヤだから」です。納得したからではありません。叩かれた子どもには痛みと悲しみ、時には怒りしか残りません。叩かれて教えられた内容は身につきません。

つまり、全然しつけにはなっていないのです。

自分で納得して行動を変えたわけではありませんから、その叩く人がいないところや他の人の前では同じことをやってしまうのです。

叩いて教えるというやり方は、**その場での即効性はありますが、それを持続させるしつけにはなっていない**のです。

子どもの行動を変えるためには、体罰などの手段を使い、強引に改めようとするのではなく、心に訴える、むしろやさしい方法がいいのです。

イソップの『北風と太陽』という寓話は、よくご存知だと思います。

野原を歩いている旅人のマントを、北風が脱がそうとします。どんなに強い風を吹きつけても、マントを吹き飛ばすことはできません。ところが、太陽が暖かく照らすと、旅人はやがて自分からマントを脱いだ……。

北風は暴力、太陽はやさしさです。この寓話を読めば、誰でも、自分は太陽になろうと思うでしょう。太陽のやり方が正解と誰もが言います。

しかし、現実に実行してみると、太陽のやり方は時間がとてもかかります。おそらく、北風は1分吹いたくらいであきらめてしまったはずです。太陽は成功しましたが、おそらく2時間くらいはかかっているでしょう。

でも、北風は、もしもあと1分吹き続けていれば、マントを脱がせることができたように思います。その即効性は、やはり魅力があります。

北風が2分、太陽が2時間。効果が現れるまでの時間にこれだけ差があると、どうしても北風方式をとろうとする人が出てきます。

けれども、先ほども説明したように、その北風のようなやり方によるしつけはしつけたことにはならず、子どものことを考えると、太陽のようなやり方で子どもの行動を変えていく方がずっと効果があります。

体罰は基本的には、なしと考えてください。大丈夫です。「言葉で」諭すだけで、子どもに伝えたいことは十分伝わっています。たとえ今すぐ改まらなくても、お母さんのその教えは子どもの中で蓄積され、後で必ず花開きます。

「しつけない」しつけ④

させたいことは、具体的な言葉で伝える

★怒鳴るだけの監督は、下手な指導者

少年野球の練習風景を見ていると、指導が下手な監督には共通点があるのに気づきます。

「バカヤロー！　何やってんだ」「どこ見てんだ」「どうしてとれないんだ」などと、ただ怒鳴るばかりで、具体的な指示がまるでないことです。

こわいので、子どもは「はい」と答えます。けれど、その言葉だけだとどうしたらいいかさっぱりわからず、当然次も同じミスをします。監督は、指示を出したつもりなので、「なんで、そうなんだよ！　さっき言っただろ！」と、さらに怒ります。

「言った」と言われたところで、子どもは何も言われていません。それなのに怒られ、かわいそうですよね。

一方、指導が上手な監督はさっきのような言葉は言いません。「もっと、腰を落としてとってごらん」などと、すべきことを具体的な言葉で教えています。子どもはどうすればよかったかわかり、改めやすくなります。その結果、上達します。

しつけもまったく同じです。子どもにしてほしいことを、具体的な言葉で伝えるのが大切なのです。

★「なにしてるの！」は何も伝わっていません

多くのお母さんが、子どもに注意するときに共通するパターンがあります。それはさっきのダメ監督のように「いつ」「どこで」「だれが」「なにを」「なぜ」が入った叱り言葉を使うことです。その5つの疑問詞はよく「5W」と呼ばれます。

「いつまで起きているの！」「どこ行くの！」「だれがそんなところに捨てるの！」「なにしているの！」「どうしてそんなことするの！」……。

大人なら、その言葉で「ああ、もう寝ろってことだな」とか、「行ってはいけないんだな」などと推測できますが、言葉は言葉通りに受け取る子どもはそれができません。

「いつまで起きているの！」と聞かれたら「わかんない」、「どこ行くの！」と聞かれたら「あっち」と思うものです。

５Ｗ式の叱り方は、単にものを尋ねる疑問文にしかなっていないのです。どうしたらいいのか、何を求められているのかが、何もわかりません。するべきこと、してほしかったことを、ストレートな表現で伝えるのが大切です。

「いつまで起きているの」　↓　「もう寝なさい」
「どこ行くの」　↓　「戻っておいで」
「だれがそんなところに捨てるの」　↓　「そこには捨てないでね」
「なにしているの」　↓　「早く片づけなさい」
「どうしてそんなことするの」　↓　「それはしたらダメよ」

子どもは的確な指示を与えられたら、案外素直にその通りに動くものです。

机に上がっていても、「どこに上がってるの！」「どうして上がってるの！」など言うと、なかなか降りませんが、「降りなさい」のひと言で、あっけなく降りてくれるのです。

叱りたくなったときは、５Ｗを使わず、すべきことを具体的に言う。

それだけでも、立派なしつけになっています。

★「くつ！」ではなく「くつをはきなさい」

「危ない！」「やめなさい！」

ほとんどのお母さんが、短い言葉で息子さんを叱っていると思います。けれど、先ほどのように、抽象的な言葉では子どもは理解しにくいのです。

「落ちるから危ないよ」というふうに理由を添えましょう。よいしつけをしようと思ったら、**０歳の子でも、理由を添えて教えてください**。何も言わないときと比べ、その真意が伝わるということがうんと増えます。

「具体的な言葉」で伝えよう

●「5W語」を使わない

✖「どこ行くの」	→ ○「こっちへ戻っておいで」
✖「なにしてるの」	→ ○「危ないからやめなさい」
✖「なんで そんなことするの」	→ ○「お箸で食べなさい」

●単語だけに省略しない

✖「ひじ！」	→ ○「ひじをついてはダメよ」
✖「あし！」	→ ○「あしを下ろして、お行儀よく」
✖「くつ！」	→ ○「くつをちゃんとはきなさい」

言葉は子どもの頭の中に蓄積されます。0歳時代に蓄積された言葉は1歳から話せるようになり、2歳の頃に蓄積された言葉は3歳でしっかり花開きます。

同じように、「ひじ！」「あし！」「くつ！」「ぼうし！」と単語だけのフレーズも子どもには理解しにくい指示です。

「ひじ！」　↓　「ひじをついては、ダメよ」

「あし！」　↓　「足を下ろして、お行儀よく」

「くつ！」　↓　「くつをちゃんとはきなさい」

「ぼうし！」　↓　「ぼうしをかぶりなさい」

と、省略しないで指示しましょう。子どもはその通りのことをするはずです。

★叱らなくても言うことを聞いてくれる魔法

「5W語を使わずストレートに子どもに伝えること」「ひとつの単語に省略しない

で、きちんとフレーズで子どもに伝えること」を説明しました。このふたつは本当に役に立ちます。

保育園や幼稚園でのお昼の時間は、あっちを向いたり、こっちにちょっかい出したり、食事そっちのけで何かに夢中な子がいたりと、にぎやかなものです。どのクラスでも、「どこ向いてんの！」「足、足！」「お箸！」と見事に先生の「5W語」と「単語言葉」が飛び交っています。

しかし、あるとき私が「はい、前を向いて」「足は下ろして」「危ないからお箸はちゃんと持って」と簡単な理由を添えながら、すべきことを具体的に言っただけで、私のクラスの子どもたちはみんなその通りのことをするようになりました。

叱り言葉はひと言も言っていません。なのに、次々と言った通りにしてくれるのです。叱らなくても言うことを聞いてくれるのですから、こんな便利な方法はありません。

まさに「しつけない」しつけですよね。

「しつけない」しつけ⑤

普通の声で叱る

★この続きを抱っこして叱れますか？

感情的になって子どもを叱ると、言い方がきつくなったり、嫌味や皮肉を添えながら叱ったり、怒鳴ったり、最悪の場合は叩いてしまったりと、とにかくろくなことがありません。

でも、おかしなもので、感情的になっているお母さんに

「そう感情的にならないで」

と声をかけると、たいがい、

「感情的になんかなっていません！　注意しているだけです！」

と、それこそ感情的な答えが返ってきます。

感情的になっているときには、自分ではそれに気づかず、人から指摘されても認めにくいものなのです。

そこで、自分が感情的になって叱っていないかどうかがわかる方法をご紹介しましょう。と〜っても簡単です。

「今、この続きを抱っこして、あるいは手をつないで叱れるか」自分に問う。

YESなら冷静、NOなら感情的です。

私は自分が今、感情的に叱っていないことを確認するために、いつも抱っこして子どもを叱るようにしていました。5歳くらいの大きな子どもでもです。

「こんなときに抱っこなんてとんでもない」という人は、感情的になっている証拠。

感情的になっている人には、「抱っこ」は絶対にできない行為なのです。

あるいは、手をつなぎながら叱ることもありました。

「さっきはどうして、お友達を叩いたの！　絶対に叩いたらダメだよ！」

たとえ口調はきつめでも、手をつないでいることで、叱られながらも子どもはどこかに愛情を感じてくれるのです。

しかし、感情的になっている人には、手をつなぎなら叱るなんて、やはりできないことなのです。

★猫なで声にする必要もない

子どもを感情的に叱ることが少ない人は、

「壊れてしまうから、おもちゃを投げてはダメよ」

とやさしく教えることができます。

誤解するお母さんがいるといけないので断っておきますが、「やさしく」というのは別に猫なで声で、赤ちゃん相手に言うように、

「あのね、おもちゃが壊れるからね、投げちゃダメよぉ」

と言いましょう、と言っているのではありません。

普通の言い方でいいのです。

息子さんが牛乳をこぼしたら、

「もうっ！　どうしてこぼすのよ！」

と、とっさに大きな声で怒鳴って言ってしまうのではなく、

「気をつけて牛乳入れてね、こぼれるからね」

と、**ごく普通の言い方で言うだけでいい**のです。

その言葉の中には、十分「しつけ」が入っています。

でも、急に変えるのはむずかしいかもしれませんね。

3回に1回改めてみようかな、くらいから始めてみるのがいいかもしれません。

「しつけない」しつけ⑥

「罰予告式」で言うことを聞かせようとしない

★「片づけないなら、置いてくよ」に泣く子

意外かもしれませんが、子どもって2歳を過ぎたら泣かないものなのです。

保育園に行って、ためしに1時間ほど、フェンスの外からでもいいので、どこかに隠れて聞いてみてください。あれだけ大勢の小さな子どもたちがいるのに、泣き声はほとんど聞こえないはずです。

2歳を過ぎた子どもは、機嫌よく過ごしてさえいれば、めったに泣かないのです。ただし、痛かったとき、こわかったとき、そして冷たい言葉をかけられたときには泣きます。

「早くこないと、置いてくよ」

そんなことを言われたら、子どもはすぐに泣いてしまいます。

「片づけないなら、もう連れて行かない」

「もう赤ちゃんのクラスに行ってもらうよ」

そういう「○○しないなら●●するよ」「△△しないなら●●してあげない」「そんなことをするなら●●してやるぞ」……。すべて「●●」には子どもの嫌がるものがくる、一種の脅し言葉です。

そんな冷たい言葉をかけたら、大人でも泣きたくなってしまいます。


このような叱り方を、私は「罰予告式」と呼んでいます。

これを無意識に使っているお母さんは、じつはとても多いのです。というのも、この叱り方には即効性があるからです。「罰」をちらつかされると、イヤなことを避けるために、たいていの子はしぶしぶ言うことを聞きます。

けれども、これは**脅して子どもを従わせているだけ**。子どもの心には反発心が残り、本当の意味で行動が改まることはありません。

★「片づけたら、一緒に行こう」で動く子

先にも述べたように、子どもの行動を変えるのに、「北風方式」はタブー。心に訴える「太陽方式」が正解です。

「○○しないなら、●●するよ」の「●●」に「罰」となるものが入るのは、北風方式です。これを逆にすれば太陽方式になります。

つまり、「●●」の中に「ご褒美」となるようなもの、子どもがうれしくなったり楽しくなったりすることを入れればいいのです。

「片づけないなら、もう連れて行かない」

ではなく、

「片づけたら、一緒にお外に行こう」

「テレビ観てるなら、おやつはなしよ」

の代わりに、

「テレビを消したら、おやつにしよう」

こんなふうに「これをしたら、いいことあるよ」「うれしいこと、楽しいことが待ってるよ」と期待を持たせる言い方にするだけで、子どもは進んで動くのです。「はーい」と素直な返事をして、さっさと片づけを始め、テレビを消すでしょう。

「いいこと予告式」なら、子どもはその「いいこと」を得るために、面倒だったりイヤなことでも頑張ってやろうとします。

いかに子どもを「自分から進んでやろう」という気持ちにさせるかが、しつけがうまくいくかどうかの分かれ目なのです。

男の子の困った！Q&A

Q 「ありがとう」や「ごめんなさい」が言えません。「こんにちは」と挨拶されても知らん顔。このままでは困ります（4歳）

A 小さな声でも、言えたときにそのつど褒めて

子どもというのは、挨拶の言葉を言うのが、少し恥ずかしいようです。

また、大人と違って子どもは、挨拶なしでも人間関係が成り立つ世界で生きているので、普段から挨拶の必要性を感じていないようです。

そうはいっても、子どもも、これから挨拶は必要ですので、今から少しずつ言えるようになればいいですね。

今は「こんにちは」は苦手でも、「いただきます」や「ありがとう」なら言える、で十分です。

ポイントは、言いやすい挨拶から始めることと、言わないときに叱るのではなく、小さな声でも言えたときに欠かさず褒めるということ。

男性はおだてに弱いものなのです。それは小さな男の子でも同じ。

「文句を言わない」&「褒める」で、あらゆる男性が動きます。夫・父親・同僚・上司でも試してみてください。

「しつけない」しつけ⑦

１日30回、子どもを笑顔にする

★叱りすぎてしまうときがあっても仕方ない

本書では、しつけとは怒ること、きつく叱ることではない、「教える」ことだと述べてきました。感情的にならないことが大切とも。そうはいっても、大変なことがいっぱいの男の子に、ときにカッとなってしまうこともあるでしょう。

まじめなお母さんほど、育児書などの情報から、少しでも子どもを怒るのはよくないのではないかと悩んだりしてしまいますが、そんなときがあってもいいのです。

普段はわが子のことを第一に考え、たっぷりの愛情を注いでいるお母さんにだけは、怒る資格があると私は思うのです。

根底には自分への愛情がたっぷりあるとわかっているからこそ、いつの時代でも子どもは、どんなに怒られてもお母さんが大好きなのです。

そのかわり、怒ってしまった後は、愛情たっぷりの笑顔でフォローしてください。子どもはお母さんの笑顔を見るだけで、笑顔になります。


私はよく、「お子さんを10万回笑顔にしてください」と言います。

「えっ、10万回！」と驚くかもしれません。

けれど、これは0歳から10歳までの10年間でという長い期限つきです。

1日30回、息子さんが笑顔になれば、10年間で約10万回になります。

子ども時代の10年間に10万回笑った経験のある人は、必ずすくすくと育ちます。思春期を経て大人になって、困難な状況に直面したとしても、必ず乗り越えていけます。


もし、今日1日の間に、10回怒ってしまっても、30回お母さんの関わりで笑顔にすれば大丈夫です。

★たっぷりの笑顔でフォローを

子どもは、大人のような愛想笑いはできません。作り笑いができないのです。うれしかったり、楽しかったり、おもしろかったりしないと笑いません。

だから子どもが笑うのは、うれしいとき、楽しいとき、おもしろいときだけなのです。

でも、子どもを１日30回笑顔にさせるなんて、超簡単。**子どもはほんの少しでも「うれしい」「楽しい」「おもしろい」を感じたら笑ってくれる**からです。

それこそ突然「お鼻ブー」と言いながら鼻を触っただけでも笑います。大人は怒る

だけですが。

子どもを笑顔にする、いい方法があります。それは、お母さんが笑顔を見せることです。

たとえば、きつく叱られてしゅんとなったときでも、その後にお母さんがたっぷり笑顔を見せてあげれば、子どももたちまち笑顔になるのです。

1日30回、10歳までに10万回……。**作り笑いのない子ども時代にそれだけ笑ったということは、子ども時代にうれしいことや楽しいことが10万回もあったということ。**

そんな子どもは必ずまっすぐ育ちます。

さあ、これで、男の子を「しつけない」しつけのポイントがわかりました。どれかひとつを心がけるだけでも、お子さんはきっと立派なやさしい青年に成長していくことでしょう。

第3章

親が5%変わるだけで、子どもは50%変わる!

お母さんのほんの少しの変化で、子どもは大きく変わります！

★95％は今のままで

男の子の子育てが大変なワケ。それは、男の子が男性、つまり異性だからでした。自分の子どもであっても、1歳にもなればもう男。「女性である私から見て、男性の、理解不可能な行動が多いのは仕方ないわね～」と、思ったとたん、いくぶん気持ちがラクになったと思います。

子どもの行動にいちいち「どうして○○なの？」「どうして○○するの？」と、いつも疑問文で問いかけていたのが、「男の子だから仕方がないか」とまるで悟ったような気持ちにもなったのではないでしょうか。

「どうして、そんな汚いものに触るの! キャー! その手でこっちにこないで」

とパニック気味だった対応も、

「好奇心には勝てないのね。ま、拭いたら終わりか」

と、いくぶん冷静になれるようになったのではないかと思います。


しかし、やはり子育ては、朝から晩まで365日のことですから、イライラが爆発したり、感情的に怒ってしまうこともありますよね。そして、まじめなお母さんほど、「本に、怒らなくてもしつけはできるって書いてあったのに、また怒っちゃった。私ってダメね……」と、深く反省しがちです。

「親が変われば子どもも変わる」「お母さんが変わってみてください」などとよく言われますが、人間そんなにすぐに変われるものでもありません。

また、変われと言われても、自分の性格やキャラクターを変えてまで変わりたくはないとも思うものです。

でもじつは、私もお母さんに少し変わってほしいと思っています。

どれだけ変わってほしいかというと……。

たったの5％です。

考え方をほんの少しだけ変えていただき、子どもへの対応を今とほんのちょっと変えていただくだけでいいのです。

でもそれは、お母さんの全体から見ればほんの5％です。

95％はそのままでいいのです。今のままのお母さんでいいのです。

では、その変わるべき5％とは、どんなところかを次に書いていきますね。

仮に全部実行したとしても、お母さんが変わったのはほんの5％なので、誰からも気づかれないはずです。

でも、子どもはウソのように変化するはずです。

そうですね、50％は変わると思います。

その結果、**子育てが信じられないくらいやりやすくなる**のです。

念を押しますが、変わるのは5％。

それ以外は今のまま、そのままでいいのですよ。

「あきらめる」と、子どもにもっとやさしくなれます

★あきらめるとは丸ごと認めること

「あきらめる」といっても、「お母さんはやっぱり我慢しなくっちゃ」ということでもなければ、「母親はある程度犠牲になって……」と言うのでもありません。

「あきらめる」とは、「ありのままを認める」ということなのです。

じつは、お母さんは息子さんが生まれてから、すでにたくさんのことを「あきらめて」います。

たとえば、子どもが０歳のときは、本当は「この子がお話ししてくれたらどんなに助かるかしら」と思っていても、子どもがしゃべることは「あきらめて」います。

あきらめているからこそ、子どもがしゃべらないことにイライラしないですんでいるのです。赤ちゃんが話さないということを「認めて」いるからこそ、返事をしてくれないのをわかっていながら一方的に話しかけることができるのです。

いろんなことをあきらめ、赤ちゃんのすべてを丸ごと認めていたからこそ、赤ちゃんが笑ってくれただけでお母さんにも笑顔があふれていたのです。

あきらめること、認めることが大切なのは、息子さんが1歳になっても2歳、3歳になっても同じです。

たとえば、1、2歳になると息子さんは話すようになりますが、今度あきらめてほしいのは、早く歩いたりすることです。

一人なら歩いて5分で行けるスーパーも、子どもと一緒のときは、5分で行くことをあきらめ、10分以上かかることを認めてほしいのです。

それができるお母さんには、そのかわり、いいことが起こります。

笑顔が増えるのです。子どもにも、自分自身にも。

★「できなくて当たり前」と思うと笑顔が増える

子どもと一緒でも、5分で行くことをあきらめられないお母さんは、子どもが早く歩かないことがイライラのもとになり、つい子どもを怒りながら歩くことが増えます。

でも、10分かかって当たり前、と思っているお母さんは、道中で咲いていたタンポポを子どもと一緒に触ったり、空を飛ぶ飛行機を指さし、一緒に笑う余裕が出てきます。5分で行くことなんかあきらめているからです。

ご主人との関係も同じだと思いますよ。「もう！　どうして○○なのかしら！」と腹が立つことがあっても、何度か言ってダメだったら一度、スパッとあきらめてみてください。

するとあれだけ出ていた文句の言葉が出てこなくなり、それどころか、子どもに話しかけるようにやさしく話しかけていたりするかもしれませんよ。

惚れ直されること間違いなし！　だと思います。

文句はふた言目に言うと、子どもは素直に聞きます

★まず子どもの気持ちを受けとめる言葉を

「あきらめること」「認めること」が大事とわかっていても、日常生活の中で実行するのはなかなかむずかしいものです。自分では認めているつもりでも、行動には出ていないこともあります。

そこで日々、子どものことを認めることができているかどうかが、すぐにわかる方法をお教えしましょう。

「もうっ！」という言葉が、子どもと一緒にいるときに、すぐに出ていないかどうかを確かめるのです。

「もうっ！」は相手を認めていないときに出やすい言葉だからです。

先日、こんなことがありました。

お母さんが体育館でママさんバレーの練習をしているときに、３歳くらいの男の子が２階席から「おかーさーん！」と言って、突然手を振ったのです。

お母さんは、「ちょっと、もうっ！　どこに上がってるの！　降りなさい！」

男の子はしょんぼりし、しぶしぶ降りてきました。

お母さんのその言葉は、子どもの行動を認めていないからこそ出た言葉です。

では、どうすればよかったのかというと、こうです。

子どもの気持ちとしては、お母さんに気づいてほしかったから呼んだのです。

お母さんにも手を振ってほしかったから手を振ったのです。

だから、子どもに呼ばれたのだから、愛想返事でもいいので「はーい」と言って、手を振ってから「そこへ行ったらダメよ。降りなさい」と言えばよかったのです。

自分の行動と気持ちが少しは認められたことで、子どもはうれしく、喜んで降りてきます。

自分を認めてもらった子どもというのは、その人の言うことを聞く耳を持ちやすくなるのです。

最初に子どもを認める言葉をかけ、文句や苦情はその後に。

たったそれだけで、ビックリするぐらい子どもが変わったというお母さんを私は何人も知っています。

むずかしそうだと思うお母さんは、最初に「もうっ！」と言わないクセをつけてみてください。それだけでも、子どもはずいぶん変わっていくはずです。

★「いいね。でも……」の形で

保育士時代にこんなこともありました。

お迎えにきてくれたお母さんに、4歳の男の子が「運動会用に旗を作ったよ」と言ってかわいい旗を見せにいきました。日の丸の旗でした。

そのとき、お母さんから出たひと言目は、「あら、赤い丸はもっと大きくないと」でした。

喜んでくれると思って見せた子どもは、最初がダメ出し言葉で、なんともいえないがっかりした顔をしていました。

このように、子どものすることや言ったことに、いきなりダメ出し言葉を投げかけるお母さんはとても多いのです。

でも、これでは、お母さんの「本当は赤い丸をもっと大きく描いてほしかった」という希望も伝わりません。

このときどうすれば子どもが笑顔になったのでしょうか。

せっかく子どもが見せにきてくれたのだから、まずは「あら、日本の旗ね、かっこいい」でも「上手にできたね」でもなんでもいいので、とにかく褒める言葉、認める言葉を言うのです。

そしてその後に、「でも、赤い丸はもっと大きく描いたらよかったね」と言えばいいのです。子どもは「うん」と言います。

今度描くときはそうしようとも思うはずです。

さっきのママさんバレーの男の子と同じです。

子どもには、ダメ出し言葉の類はいっさい言わないように、と言っているのではありません。むしろ言っていいのです。

ただし、ひと言目ではなく、ふた言目に言うのです。

それを習慣にするだけで、子どもは本当に変わってきます。

「あなたが大好き」を伝えると、子どもは安心します

★「僕のことが嫌いだから怒るんだ」と思っている子は多い

お母さんは、息子さんに愛情いっぱいですが、その思いをあまり言葉に出して子どもに伝えてはいないのではないでしょうか。

あまりにも当たり前すぎて、改めて言うのも照れくさいと思うかもしれませんが、ぜひ一度は伝えてほしいと思います。

たとえば、息子さんの卒園や小学校入学はお母さんにとって、とってもうれしい出来事です。ところが、卒園まぎわに息子さんに向って言う言葉は、「そんなことしてたら小学校に行けないよ」「そんな赤ちゃんみたいなこと言ってたら、もう１

回幼稚園に行ってもらうよ」など、子どもが嫌がることばかりを言ってしまいがちです。

子どものことは大好きなのに、言葉はいつもその反対のものが出てしまう。こういうことは、日常の中でもよくあります。

結局子どもは「あなたが好き」という言葉は聞いたことがなく、聞こえてくるのは怒られる言葉ばかり。

すると、子どもは「お母さんは僕のことが嫌いなんだ」「好きじゃないから怒るんだ」と思ってしまうのです。実際、そう思っている子どもは多いのです。

照れくさくても「あなたが大好き」という本心をぜひ言葉で伝えてほしいと思います。

最適なのは、お風呂タイムです。湯船につかっているときには、とてもリラックスして心が落ち着いていますから、話がしやすいのです。

突然でもいいので、こんな感じで話してみてください。

お母さん「あのね。お母さん、よく怒る？」

息子「うん」

お母さん「どうしてか、わかる？」

息子「ううん」

お母さん「それはね、◯◯が大好きだからよ。大好きだから怒るの。良い子になってほしいから怒るの。いつも怒ってごめんね。でもだ～い大好きよ」

これだけでOKです。

実際、それがお母さんの本心なのですから、言いやすいと思います。

その後、お風呂から上がっていつものように、「裸でウロウロしないの！」と怒っても大丈夫。息子さんは、**「お母さんは、ぼくのことが好きだから怒るんだ」**と安心します。むしろ喜んでいるかもしれません。

2歳を過ぎたら、少なくとも半年に一度は伝えてほしいと思います。

好奇心を10秒満たしてあげると、子どもは落ち着きます

★「すぐに飽きる」のではなく「すぐに満足する」

たとえば動物園に行くと、子どもは「あれ見たい」「これも見たい」と言います。それで、見たがったライオンを見せると、10秒もしないうちに隣のゴリラの檻に移動したりするときがあります。

「ああ、ゴリラが見たかったのね。じゃあ」と思って一緒に移動すると、あっという間に、そのまた隣のトラの檻に……なんて経験はありませんか？

お母さんにしてみれば、「もっとじっくり見たらいいのに。本当に飽きっぽいんだから」というところでしょう。

またまた「もうっ！」という言葉が出てしまいそうになると思います。

でも、小さな子どもは動物園では、みんなそんなものです。

ただし、「すぐに飽きる」からそうなるのではありません。

子どもは「すぐに満足する」からそうなるのです。

そう、**子どもは、なんでもほんの少しで、すぐに満足できる**のです。

ライオンもゴリラもトラも、10秒ほど見ただけでもう満足するのです。

私は、子どもを宇宙旅行に連れていっても、きれいな地球を10秒も見れば満足し、あとは後ろのボタンや計器ばかりを触っているように思います。とくにそれが男の子だった場合は。

お母さんは普段、子どもの「あれしたい」「これしたい」というちょっとした望みでさえ、「ダメ」と禁止しがちです。でも、本当は、ほんの少しやらせてあげたり、させてあげたりするだけで、二度と言わなくなることが多いのです。

禁止したときはあれだけ泣いたりむずかったりしたのが、ほんの少しさせてやるだけで、ウソのように落ち着いたりするのです。

★見たいものがチラッとでも見れたら気がすむ

先日、病院の待合室でこんな光景を目にしました。

1歳ぐらいの男の子を、お母さんが、膝に乗せて絵本を読んであげていました。しかし案の定というべきでしょう、男の子はずるずるとお母さんの膝から降りて、診察室の方にトコトコと向かいます。

お母さんは、「ダメ、ダメ」と、あわてて連れ戻し膝の上に。しかし、男の子は再び、診察室の方へ。再びお母さんは「ダメ、ダメ」と連れ戻し……その繰り返しです。

どのお母さんも似たような経験があると思います。そのとき、どうしましたか？

じつは私も、息子がまだ小さかったとき、まったく同じ経験がありました。

でも私は、息子が何度も診察室に向かったのだから、「ああ、診察室の中が見たいのだな」と思い、抱っこして、チラッと中を見せてあげました。

そして、「ほら先生がいるねー。あとで診てもらおうねー」で終わりです。息子は診察室の方には二度と行きませんでした。

見たいものが見られたので、すっかり満足したのです。

子どもは5分も10分も見たがりません。さっきも言ったように、子どもは少しで満足します。私もそのとき見せたのはほんの10秒です。

息子は落ち着いてソファに座ってくれました。

とくにわがままでもなんでもない、かなえてあげても何も支障のないような子どもの小さな望みは、かなえてあげることです。

ほんの少しで満足します。

少しでも願望が実現したからです。

ウソのように落ち着きます。

★禁止ばかりだと逆に落ち着かない

とくに男の子は好奇心が旺盛なので、なんでもすぐに触ったり、どこかへ行ったりします。

だからといって、禁止ばかりしたり、まったくさせないでいたりすると、子どもは逆に落ち着かなくなります。

私は保育でも、子どもの小さな希望はできるだけかなえてあげようとしました。たとえば食事中に救急車が通ると、子どもは見たいので、席を立とうとします。それを禁じるのと、少し見せてあげるのとでは、子どもの様子が全然違います。

ダメと禁じたときは、椅子に上がったり、ジャンプしたり、落ち着かない動きが出ますが、窓際へ移動し、少し（ほんの5秒ほど）見せてあげると、「はい、戻っておいで」の指示にも素直に従い、なにごともなかったかのように食事の続きが始まります。

子どもの希望したことは、それがとくにわがままや人に迷惑をかけることではない限り、少～しかなえてあげるだけで、子どもの様子は本当にウソのように変わっていきます。

小さな望みをたくさんかなえると、子どもは幸せになります

★大人なら誰の了解も得ずかなえているものばかり

子どもの日常を思い浮かべると、大人に比べて、いかにほんのちょっとした小さな希望でさえ満たされていないかわかります。

大人は、街を歩いていても、「本屋さんに寄り道を」と思えば、好きなときに立ち寄ります。大人は、5分だけ、と思えば5分で切り上げ、30分読みたいなと思えば30分います。大人は、自分の希望はことごとく自分でかなえることができるのです。

家で喉が渇いたら、冷蔵庫を開け、お茶でもジュースでも好きなものを飲みます。おかわりをするのも自由です。小さな希望は、自力でかなえ、心は連続的に満たさ

れているのです。

けれど、子どもは「本屋さんに寄りたい」と思っても「ダメ」と言われ、「ジュースおかわり」と言っても「ご飯が食べられなくなるからダメ」と断られ、大人ならことごとく自力でかなえているようなほんの小さなレベルの希望でさえ、なかなかかなえられていないのです。

ちょっと満たしてもらうだけで満足するのに、です。

「ジュースおかわり」と言ったら、なにもコップ一杯におかわりを入れる必要はありません。

「お腹いっぱいになるから、これだけね」と、少し注いであげればいいのです。

「おかわりなし」と「少しでも入れてくれた」では、子どもの満足度が違います。

本当は、そのおかわりもなみなみと入れ

てあげてほしいくらいです。

だって、大人ならみんな、そうしているのですから。誰の了解も得ずに。

★「満足袋」をいつでもいっぱいに

人には「堪忍袋」と「満足袋」がある。

私が20年近くも前に、ある講演会で話したことなのですが、最近このとき参加されていた女性から「先生、堪忍袋と満足袋の話、まだ覚えています」と声をかけられ、自分も思い出しました。

こういうことです。

「堪忍袋」にはストレスが溜まっていき、「満足袋」には満足感が溜まっていきます。満足袋がいっぱいのときは、堪忍袋が少しくらいふくらんでも大丈夫なのですが、満足袋の中に何も入っていないと、少しのストレスがやってきただけでも堪忍袋の緒が切れてしまいやすくなるのです。

夫婦関係もそうだと思います。普段、ご主人が奥さんの満足袋を満たしてあげていれば、たまにわがままを言っても奥さんは聞いてくれます。でも**満足袋の中身が全然足りなければ、ちょっとのことで堪忍袋の緒が切れやすくなる**と思うのです。

息子さんの満足袋も、いつもいっぱいにしてあげてほしいと思います。

そのためには、日頃から小さな好奇心を満たし、かなえてあげても何の支障もないような小さな希望をたくさんかなえ、小さな満足感をたくさん与えてあげてほしいと思います。

男の子の困った！Q&A

Q スーパーへ行くと、すぐに「買って」。要求が通らないとカンシャク！無視すると、もっとひどくなります（4歳）

A 「ホントだ。それいいね」のひと言で子どもの気持ちは収まります

3歳から5歳にかけて、子どもがよく言う「買って」は、単に「ボクはこれが気に入ったよ」の意思表示です。

スーパーの通路ひとつ通るだけで言う、「これ買って」「あれ買って」は、「これ気に入った」「あれも気に入った」と言っただけ。つまり、感想を言っただけなのです。

感想を言っただけなのに、怒られたり冷たい言葉を浴びせられたりしたら、そりゃあ子どもだって怒ります（＝カンシャク）。

海外旅行のニュースを見て「私も行きたいな」と言っただけで「そんな金どこにあるんだ！」とご主人に怒鳴られたら、奥さんだってカンシャクくらい起こしますよね。

そう、子どものカンシャク（男の子が圧倒的に起こす）の原因は、その直前のお母さんの冷たい言葉に原因があることが多いもの。

これ気に入っているの！
あれ買って
これも買って！

そこで買わずとも共感を寄せる言葉で返したなら、カンシャクも必ず減ってきます。

母親ほど、子どものことを考えている人はいない

★お母さんだけは、お小言を言う資格がある

「自分は母親として何点だと思いますか？」

と自己採点してもらうと、70点と答えるお母さんが多いそうです。

ずいぶん謙虚だなあ、と私は思います。

でも、子どもに「お母さん何点？」と聞くと、おそらくみんな「90点！（以上）」と答えるように思います。日本中、いや世界中の子どもは、みんなお母さんが大好きなのです。

それには、ちゃんと理由があります。

子どもというのは、こんな人を大好きになり、絶対的な信頼感を持ちます。

①　自分をよく褒めてくれる人
②　自分とよく遊んでくれる人
③　自分の苦痛を取り除いてくれる人
④　自分にうれしい言葉をかけてくれる人
⑤　自分を笑顔にしてくれる人
⑥　自分のことが大好きな人
⑦　笑顔の多い人（よく笑う人）

お母さんというのは、少なくとも子どもが生まれてからの1年間、知らず知らずのうちに、この7つをすべて行っているのです。まさに母親の本質が出る1年間なのです。

だから、**子どもは最初の1年間で、母親を大好きになります。**

そしてこの1年間に築いた母と子の信頼関係は絶大です。

でも、お母さんは子どもが1歳を過ぎた頃から、お小言をたくさん子どもに言うようになります。でも、1歳を過ぎて、お母さんがたくさんお小言を言うようになっても、そんなことくらいで子どものお母さんへの信頼感はゆるぎません。

つまり、子どもから絶対的な信頼を得ているお母さんだけは、子どもを怒ったり、小言を言ったりする資格があるのです。

★「怒らないように」と無口にならないで

お母さんはたしかに、普段たくさん子どもを怒ったりお小言を言ったりしているかもしれませんが、子どもが喜ぶような言葉もじつはたくさんかけています。

たとえば、お母さんと子どもが公園に行ったとしましょう。

「危ないわよ！」「そんなところ登らないで！」「もうっ！　やめなさい！」……。

お小言と禁止語のオンパレードになってしまうお母さんもいるかもしれませんが、そんなお母さんでも、「砂場でプリン作ってごらん」「わあ、おいしそう」「葉っぱをお皿にしてみたら」と、遊びが広がる言葉、子どもがうれしくなる言葉も、本人は意識していないかもしれませんが、たくさんかけています。

もしもお父さんと公園に行ったなら、たしかにお小言や禁止語は少ないかもしれませんが、とにかくかける言葉自体が少なく、遊びが広がる夢のある言葉もあまりかけていないものです。

子どもが砂場でプリンを作って、「パパ、プリンだよ」と見せても、「ほんとだ」で終わりです。

子どもが「お腹痛い」と言ったときなどもそうです。

「もうっ！　さっき、アイスばっかり食べたからよ！」とまず叱られますが、すぐに「どこが痛いの？　ここ？　ここ？」とお腹を触りながら聞いてくれます。さらに、「お腹の薬、どこだったかしら」と、薬を探して飲ませてくれます。

まさにさっきの「子どもが大好きになる人７項目」の中の「自分の苦痛を取り除いてくれる人」になっているのです。

いくらお小言を言われても、お母さんは結局自分にやさしいことをしてくれるから子どもは大好きなのです。

「晩ご飯、何が食べたい？」といった、お母さんにとっては何気ない言葉も、子どもはうれしいのです。そんな自分を喜ばせてくれるうれしい言葉を、お母さんは自分も気づかないところでたくさん子どもにかけています。

だから子どもはお母さんが大好きなのです。

お母さんは怒りすぎるのも困りますが、かといって、「よけいなことは言ってはいけない」と思うあまり、子どもに何も言わないようになってしまうのは、もっと困ります。

何度も言いますが、お母さんに変わってほしいのは今の5％ほど。95％は、むしろ今のままでいていただきたいのです。

この3つさえあれば、子育ては必ずうまくいきます！

★愛情ある関わり、人としての常識、たくさんの笑顔

私は、ことさらしつけなんかにこだわらなくても、子どもが幼い時期、一番長く接しているお母さんが次のような人である限り、その子どもはすばらしい人間になると思っています。

どんなお母さんかと言うと、

①　子どもが喜ぶ愛情ある関わりを普段からたっぷりと行っている

②　ひとりの人間としての常識をたくさん持っている

③　日頃から子どもにたくさんの笑顔を見せている

お母さんにこの3つさえあれば、その子どもはまっすぐ、すくすくと育つと思うのです。

「私、大丈夫かしら」とちょっと心配になったお母さん。大丈夫ですよ。左ページの表を見てもわかるように、「子どもが喜ぶ関わり」も、たとえば一緒に歩くとき手をつなぐなど、おそらくほとんどのお母さんが日常的にしているようなことばかりです。

「常識」といっても、ことさら窮屈なことを要求しているわけではありません。車内で人の足を踏んだら謝るなど、文字通りの「常識的なこと」ばかりです。

では、お母さん方に自信をつけていただく目的で、いかにお母さんの中に子どもへの愛情と、一人の人間としての常識がちゃんとあるかを確かめてもらうため、次のチェックをしていただきたいと思います。

お母さんのための
子どもが喜ぶ関わりチェック

子どもは、普段の生活の中でお母さんが何気なくやっている次のようなことに、お母さんの愛情をとても感じます。なぜならこれらは、子どもにたっぷりの愛情がないとできないことばかりだからです。

1	外を子どもと一緒に歩くとき、よく手をつなぐ	□
2	絵本をよく読んでやっている（週に1回以上）	□
3	子どもが抱っこをせがんだら可能な時は拒まない	□
4	子どもの好きな歌やキャラクターをよく知っている	□
5	雑誌の付録を作ってあげることができる	□
6	折紙やパズルに15分以上付き合ってあげられる	□
7	店先で配る風船を子どもがほしがれば並んでやる	□
8	子どもが笑うツボをよく知っている	□
9	一人で寝るのを嫌がるときは、寝つくまで枕元にいてあげる	□
10	子どもと1日5回は笑い合っている	□

「ああ、これなら大丈夫」というものばかりだったのでは？
○がつかなかったものは苦手ジャンルなのかも。
少しずつでもするようにしてみてください。
今よりもっと笑顔が増えるはず。お子さんにもお母さんにも。

お母さんのための
常識度チェック

いわゆる「常識のある人」は、そばで見ていても安心な、常識的な子育てをしています。子育てのやり方の選択に迷っても、そのなかから見事、「常識的なやり方」ばかりを選んでやっているものです。

1	車内が混んでいたらベビーカーをたたむ（たたんでいた）	□
2	車内の座席で子どもが窓の外を見ようとしたら、靴を脱がす	□
3	車内で人の足を踏んでしまったら、声を出して謝る	□
4	車内でケータイが鳴ったら基本的に出ない	□
5	公共の場で子どもが騒いだらそのつど注意はする	□
6	外食での子どもの食べ散らかしは軽くきれいにする	□
7	もし映画館でポップコーンを全部こぼしたらスタッフに告げる	□
8	ご近所さんや園の他のお母さんなど知り合いには挨拶する	□
9	夜遅くにピアノなど隣近所に聞こえるような音は出さない	□
10	子どものことで人から注意をされたらとりあえずは謝る	□

ほとんど○がついた人は大丈夫。
自信を持って子育てを楽しんでください。
○がつかない項目が多かった人は、ご主人や、ご両親など
第三者とぜひ確認し合ってほしいと思います。

子どもはお母さんの笑顔をいつも待っている

★忙しい毎日に笑顔を忘れていませんか？

「お母さんチェック」の３つ目は、「子どもにたくさんの笑顔を見せている」かどうかです。

次ページの３つのイラストを見てください。目は全部同じで、口の形だけが違います。それなのに、まったく印象が違いますね。

Aはやさしい微笑み、Bは普通の表情。そして、Cはむっつりとした表情。

じつは、ほとんどの人の普段の表情はCなのです。口角は、意識しないと下がっているものです。そのため、決して不機嫌でも怒っているわけでもないのに、「普

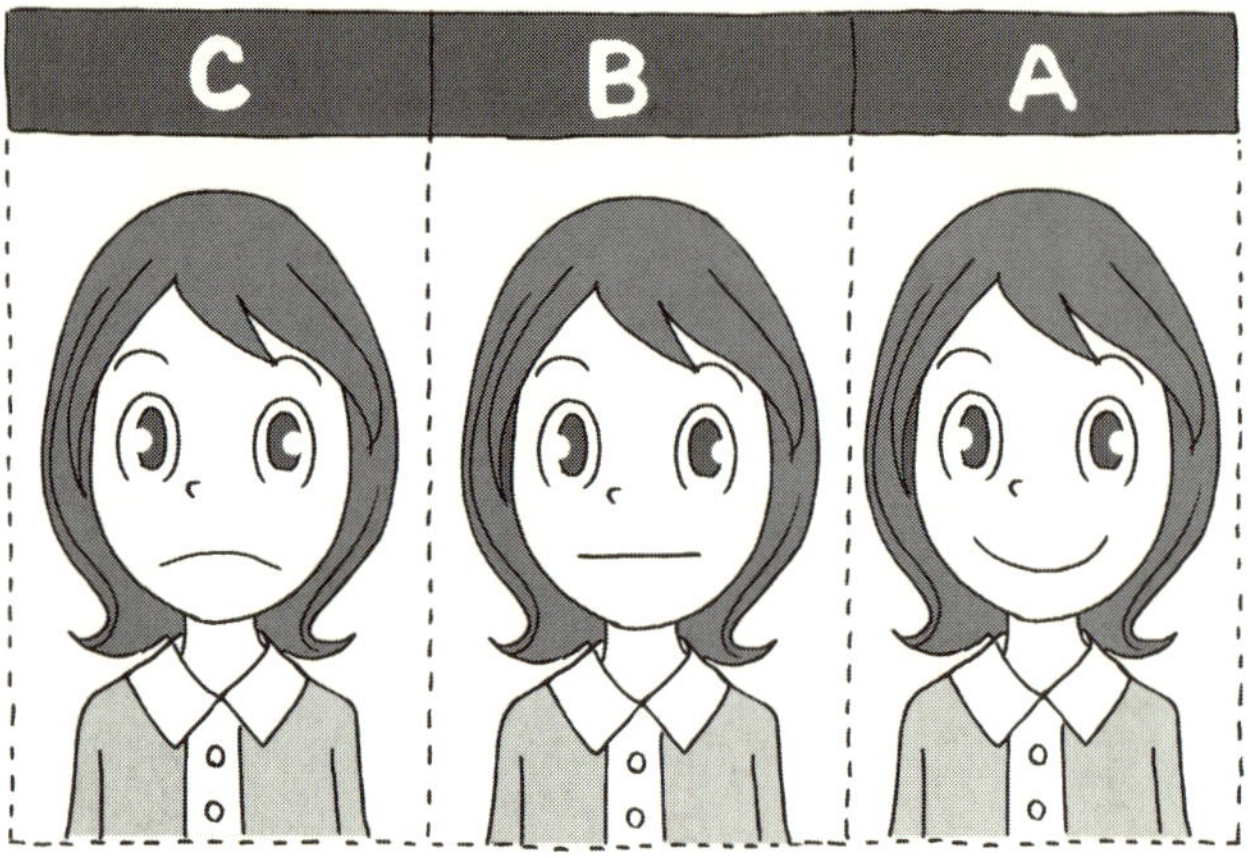

通にしている」だけで不機嫌そうに見えてしまうのです。

1日のうちで鏡を見ている時間というのは、女性でもそう多くはありません。朝から晩まで合計しても、20分ぐらいではないでしょうか。

自分の表情というのは、自分ではわからないものです。

子育てで慌しい毎日を送っていると、知らず知らずに笑顔がなくなっているお母さんも多いかもしれません。

けれども、ほんの少し口角を上げるようにするだけで、「やさしい微笑み」の表情は作れます。まずはそれを意識してみてください。

女性はもともと、人に笑顔を見せるのが得意なはずです。お友達と喫茶店にいるときは、1時間に100回ぐらい笑顔を見せ合っています。

そんな素敵な笑顔を、子どもにこそ見せてあげてほしいと思います。

人は笑顔を見ると自分も笑顔になります。

お母さんが笑顔を見せるだけで子どもは笑顔になります。

保育園や幼稚園で、お母さんの似顔絵を描いてもらうと、ほとんどの子どもが笑顔のお母さんを描きます。

子どもはお母さんが大好きです。

自分の大好きなお母さんにぴったりな表情は、この笑顔だと思っているのです。

夫婦で笑い合うだけでもいいのです。

その笑顔を子どもはちゃんと見ています。

子どもはお母さんの笑顔が大好きなのです。

男の子の困った! Q&A

Q 今、叱られたことを、すぐにまたします。何度言っても改まらず、イライラしてしまいます（3歳）

A 「したくて仕方なかった」気持ちを受けとめてから注意を

お母さん（ときには「女の子」）にとっては、それが「問題な行動」でも、男の子にとってはそれがとても魅力的であることが多く、その結果「何度叱られてもする」ようになるのです。

たとえば、横断歩道は「走るな」と言っても、男の子は走るのが大好きなので、叱った直後にもう走る、というわけです。

何度言っても改まらないときは、その行動によほど魅力があると思い、わが子の好きなものとわが子の傾向がわかってよかった！くらいの気持ちでいればいいのです。

しかし、友達に暴力を振るうなど、そうは言っていられない行動は、すぐには改まらなくともそのつど注意はしましょう。

そんな場合でも、そのときの子どもの気持ちに理解を寄せてやる言葉をひとつプラスしておくだけで、子どもの反応は違ってくるものです。

第4章

「男の子がいる楽しさ」はこれだ!

これが、男の子のいる母親しか味わえない楽しさです！

★男の子を育てる醍醐味を満喫してください

「お隣は女の子だから、ショッピングを一緒に楽しめてうらやましいわ」「女の子だったら、かわいいお洋服を着させられるのに、うちは男の子だから」……。そんなお母さんの嘆きを、よく耳にします。

たしかに、女の子はお母さんにとって同性であるため、まるでいつもそばに「小さな友達」がいるような感じで、話も合い、いろいろな楽しみがあるようです。

女性が好きなこと、たとえばショッピングやおしゃべり、おしゃれ、おいしいものを食べることなどは、3～4歳の小さな女の子でも、すでに大好きなように思います。街中で、お母さんと女の子の買い物の様子を見ても、とても楽しそうです。

一方、男の子は、買い物に連れて行っても騒ぐだけ、洋服も女の子のものほどバラエティがないし、着飾ったところで本人はちっとも喜ばない……。

けれども、やっぱりそれはないものねだり。

せっかく男の子を授かったのだから、男の子を持った母親にしか味わえない「おいしさ」をたっぷり味わってほしいと思います。

男の子を育てている母親だからこそ味わえるその醍醐味といったようなものを満喫し、女の子しか育てていないお母さんたちをこの際、うらやましがらせちゃいましょう。

本章では、男の子を育てている母親だからこそ経験できること、男の子を育てる母親の醍醐味をご紹介したいと思います。

しかし、私は男なので、ちょっとわかりかねるところがあります。

そこで、２人の息子を育てたうちの奥さんをはじめ、数々のベテランお母さんの意見を聞いてみました。

男の子は、知らなかった世界を見せてくれる

★男の子の最大の魅力は元気のよさ

「私は女きょうだいの中で育ち、子どもの頃の遊び相手もほとんどが女の子だったため、男の子というものがどんなものなのか、子どもを持つまで知りませんでした。だから、男の子を育ててみて、もう驚きの連続でした。

こんなに女の子とは違うものなのか……。とにかく自分自身がやってきたこととは大違いなのです。

でも、しばらくすると、それがなんだか新鮮で、とてもおもしろく感じ始めました。

赤ちゃん時代にまず驚いた、というか、おもしろかったのは、その元気のよさ。

生まれたときからすぐに足をバタバタさせ、ハイハイができるようになったらどこまでも行ってしまう。歩き出したら、一日中走り回っている……。

その元気のよさに戸惑いつつも、大いに元気をもらったように思います。

幼稚園や小学校に上がると、その元気のよさは、男の子ならではの活発さとなって現れてきて、たしかに困ることも多かったのですが、その動きや行動のひとつひとつが、本当に私が見たことも経験したこともないものばかりで、それを見ているだけでも、なんだか楽しかったのを思い出します。

じつは、大学生になった今もなんですが……」

このお母さんの話を聞いて、自分にやってきたものをずいぶんポジティブにとらえることのできる方だなと思いました。

もともと、なんでも楽しむことのできる女性だったんじゃないかなとも思いますが、男の子の困ることの代表のようにして言われる「よく動く」「元気がよすぎる」を、このように微笑ましい目で見てくれるのは、同じ「男の子」としては、うれしい限りです。

★ヒーローショーを一緒に楽しむお母さん

「私が小さい頃によくやった遊びは、いわゆるお母さんごっこのようなままごとやお人形さんごっこだったのですが、息子が大好きだったのは電車と怪獣。

おもちゃ屋さんで、子どもが私の手を引いて連れて行くのは、プラレールコーナーや怪獣人形コーナーばかり。これまで一度も足を踏み入れたことのない場所です。自分にとっては珍しいものばかりなので、へえ、こんなものがあるのねと、感心しながら回っていました。

でも、子どもと一緒にそれらで遊んでみるとけっこう楽しく、自分が知らなかったものや経験しなかったものばかりだったので、私も楽しむことができました。

ヒーローはもちろん、怪獣の名前まで覚えてしまって、ヒーローショーに行ったときも名前を当て合って一緒に楽しんでいました。

そうそう、男の子はみんな昆虫やザリガニやカエルなんかが好きなんですよね。うちの子も大好きでした。でも、私はそれらがいっさいダメで、家で飼うときも大反対したのですが、飼っているうちに、なんとなくかわいく思えるときがあって。結局餌やりも水換えも私がする羽目になってしまったりするうちに、今ではもう手でつかむこともできるようになったんですよ、この私が（笑）。**息子がいてくれたおかげで、自分の世界や経験はたしかにずいぶん広がったと思います**」

私も娘ができて初めて、女の子のアニメやプリキュアショーなんかを見に行くようになりましたが、じっくり触れてみるとこれがけっこう楽しく、主題歌をいつも口ずさむほどになってしまいました。

異性の文化は、接する機会がなかっただけで、一度でも接してみると、そのよさというものがわかってくるときがあります。

男の子がいたらお母さんも、野球をはじめ、いろんなスポーツを見るようになったり詳しくなったりします。男の子がいるだけで、知らなかった世界に足を踏み入れる機会が増え、それに伴って、自然に自分の世界が広がっていくのではないでしょうか。

★「人間関係があっさりしていてラク」

「男の子同士は、人間関係が女の子とは全然違うように思います。私たち女と違って、単純というかあっさりしているというか。

2人の息子のこれまでの友達関係を見ても、私たちなら少女時代からそれこそたくさんあった、女の子ならではの、ときには親をも巻き込むあのビミョーな関係や問題が、息子たちに関しては今日までまったくありませんでした。

女の子の場合、そのアドバイスもやっかいなものですが、男の子はそんなことはなく、男の子同士の関係って本当にあっさりしていてラクでいいなあ、とうらやましく思うこともありましたよ。

男の子は、女の子とはまったく違う世界や文化を持っているのですね」

わが家には男の子と女の子がいますが、娘は4歳ぐらいになるともう、○○ちゃんにこんなこと言われた、あんなことされたと親に訴えてきました。4年生になった今は、３人の仲良しグループの、他の２人の関係が怪しくなってきたそうで、どうもややこしくなってきたようです。

私にも、また大学生の息子たちにも、それに似たようなことは起こったと思うのですが、男の子の場合、親の耳に届く前に解決されたり修復されたりしていることが多く、**男の子の親は、子どもの人間関係に自分も一緒に振り回されることが本当に少ない**と思います。

それにしても、娘にはこれからもそういう問題がやってくるのでしょうかねえ？　女の子をお持ちのお母さん方に私がお聞きしたいくらいです（笑）。

Q もうすぐ3歳なのに、お片づけが全然できません。いくら言ってもしないので、いつも私が全部片づけています（2歳）

A お母さんと〝一緒に楽しく〟片づけるのが、最良の方法です

男（の子）は、目的を果たすと、後のことは全然考えないところがあるため、何でも出しっぱなし、やりっぱなしが多いようです。

整理や片づけはたしかに大切な習慣ですが、焦ることはありません。たとえば1歳の頃は「な〜いない」と、その言葉と意味を知らせる。2歳の頃は、ひとつでも片づけたら褒める。3歳の頃は、「ママは◎個、あなたは△個、よ〜いドン!」とゲーム感覚で片づけるなど、段階を踏みながら、とにかく「お片づけ」にいいイメージを作っておくと、5〜6歳の頃にはお片づけ上手になっています。

いつも怒られながら片づけていると、「お片づけ」と聞くだけでイヤになり、いつまでもうまくなりません。

片づけ上手になる一番の方法は、お母さんも一緒に片づけること。その上手な片づけ方を、じつは子どもはいつも見ているのです。

男の子は、いくつになっても甘えん坊

★母親を完全に信頼している

「中学生の息子と小学生の娘がいますが、男の子はいくつになっても甘えん坊だなと思います。小さい頃はそれはそれはママっ子で、いつも私の後を追いかけ、くっついていました。さすがに今はベタベタと甘えてくるようなことはありませんが、なにかと母親の私を頼りにしてきます。

きっと外では、〝おれはひとりで何でもできるんだ〟って顔をしているのでしょうけどね。

女の子は独立心旺盛で、母親がやってあげようかなと思ったことも、さっさと自分でやろうとするところがありますが、その点、男の子は世話の焼き甲斐がありま す（笑）。

また、甘え方も男の子は素直でかわいらしいと思います。娘の方は私に何か頼むとき、『お母さん、これやって！』と命令口調で言うんですよね。頼まれたことを私が忘れたときも、『なんでやっておいてくれないの！』と怒るし。

でも、お兄ちゃんが私にものを頼むときは、『これやってくれる？』という感じで、かわいらしいんですよね。私がやり忘れても、文句を言うこともありません。だからよけいに、あれこれやってあげたくなるところはあります」

「男の子は甘えん坊」とは、多くのお母さんが言うことです。

たしかに男の子、いや男性は、いくつになっても母親への依頼心が強いもの。**大人として立派に独立していても、心のどこかで母親を頼りにしていたりします。**

男の子は、母親に全幅の信頼を寄せています。そのため、お母さんのすることに文句を言うことも少ないようです。

これはうちの奥さんから聞いた話ですが、「娘は私に手厳しいけれど、お兄ちゃんたちは私にやさしい」そうです（笑）。

同性同士のせいだからか、それとも女の子（女性）のサガ？なのか、娘は母親のすることが何かと気になるようで、「やることなすことケチをつけてくる」と言います。

今日来ていく服を選んであげたら「こんなのイヤ」。ちょっと外出していたら「もうっ！　どこへ行ってたの！」。ヘアスタイルを変えたら「へ～んなの」。

反対に、息子たちはそんなことはいっさいなく、出した服はそのまま着るし、ヘアスタイルを変えても何も言わない。

もしかしたら、男は鈍感なので、単に「気づいていない」だけかもしれませんが……。けれども、何も言わないだけでも、母親としては「私のすることを丸ごと認めてくれているような気がして、うれしい」そうですよ。

女の子は母親にとって、わかり合えることが多い反面、ぶつかることも多いようです。その点、**男の子は異性であるお母さんに、たしかにやさしい**。もしかしたら夫よりも……？

男の子は、母親にとってやっぱり「かわいい」

★「小さな恋人」のよう

「もう男の子は無条件にかわいいですね。自分にとって異性だからか、まるで〝小さな恋人〟といった感じです。

今、小学校の3年生ですが、幼児の時期とは違うかわいらしさ、男の子らしさが備わってきて、しゃべってても笑ってもますますかわいいという感じなんですよ」

私の前で笑いながらそう言ったこのお母さんは、きっと息子さんが中学生になっても、大学生になっても、そう言っているだろうなあと思います（笑）。

でも、その気持ちはどのお母さんもきっと同じではないでしょうか。男の子はお母さんにとってはやっぱり異性。お母さんのハートをつかむのですよね、きっと。

他人事のように言いましたが、男親にとっては娘がまさにそんな感じです。

私の場合、子どもは上ふたりが男だったのですが、次男から10年もあいて女の子が初めて生まれたので、とてもかわいく、財布の中に写真を入れたり、講演会ではその写真を引き伸ばして聴衆のみなさんに見てもらったり、長男次男のときにはしなかったことばかりをしています。

ある日、友人の前で娘を叱ったときには、その友人から「お兄ちゃんのときとは全然違う叱り方だね」と笑われる始末。

父親にとっては異性である娘は、やはり無条件にかわいいのです。

お母さんと同じですね。

また、あるお母さんはこんなことも言っていました。

「高校生になった息子は、よく家に友達を連れてきます。そのなかには、イケメンの男の子も多く、なんだかウキウキしてしまいます（笑）」

お母さんも、やはり女性。家に若い男の子、しかもそれがイケメンぞろいの男の子だったなら、ウキウキしてしまうのも当然でしょう。そのシチュエーションを、存分に楽しんでくださいね。

ということは、うちの娘も将来、美人の友達をたくさん……！　うわあ、考えただけでもうれしく……いや、恥ずかしくなってきます。

男の子の困った！Q&A

Q 幼稚園に行ってから言葉遣いが悪くなりました。「おれ」も使うように。友達やＴＶの影響と人は言いますが……（5歳）

A 「自分は男」に目覚めた証拠。「ぶっそうな言葉」以外は認めてあげて

男の子は3歳頃から「カッコいいもの」「強いもの」「男らしいもの」に憧れるようになります。

「おれ」と言い出すのも、そのひとつの現れです。母親には荒っぽく、品のない言葉に聞こえるかもしれませんが、父親は案外何とも思わないものです。お母さんも「息子の成長の証」とでも思い、大らかな気持ちで見守ってほしいと思います。

ただし、「ぶっ殺すぞ」「死ね」など、いわゆる「ぶっそうな言葉」を使ったときだけは、それが習慣にならないよう、そのつど注意してほしいと思います。

たとえＴＶなどの影響だったとしても、人として使ってはいけない言葉があることは伝えましょう。

テレビの「流行語」をよく使いたがるのも男の子に多いのですが、これは使っても一過性のものが多いので、全然大丈夫です。

これから先の、男の子の成長の楽しみ

★来年には、こんなかわいらしさがやってきます

男の子を育てるその楽しみのひとつとして、わが子が「男の子」として成長する様子を間近で見られる、というのがあると思います。

当たり前といえば当たり前なのですが、よく考えれば、それは男の子を産んだ方、しかも毎日一緒に過ごしている方、早い話がその子のお母さんにしかできないことなのです。

子どもというのは成長が早く、今見せているそのかわいい様子は、もう来年の今頃は見られないことも多いのです。けれども、来年は来年で、また違う形でのかわ

いらしさがやってきます。

とくにしつけも何もしていなかったはずなのに、昨年まで困っていたものが勝手になくなっていたりすることもあります。それが成長です。

おおむねの男の子の成長の過程、つまり、年齢とともに変わっていくその様子やその時期ならではの特徴といったものを、次ページで表にしてご紹介したいと思います。

個人差も大きく、その成長のスピードも子どもによって違うとは思いますが、おおよその目安として、ご参考いただければと思います。


男の子は、それぞれの時代にそれぞれの魅力があります。


1～2歳の頃の、ひたすら無邪気なかわいさ。3～4歳の頃の、「おれは男だ」に目覚めてきたのに、まだまだ泣き虫で甘えん坊なところ。5～6歳の、すっかり「お兄ちゃん」になって頼もしくなっていく時期……。

この表を見て、「うちの子も、あと〇年もしたらこんなふうになるのかしら」と楽しみにしていただければと思います。

【好きな遊び】
・けっこう静かな遊びも好き
・隙間や穴があれば物を入れる
・パパの体がジャングルジム

【こんなこともできる！】
・お友達と関わり合うようになる
・スプーンで食事ができるようになる
・何でも親の真似をする

【好きな遊び】
・戦いごっこなど「男っぽい遊び」が盛んに
・動くもの・動かすものが大好き

【こんなこともできる！】
・お絵かきやぬりえが上手に
・簡単なお手伝いができる
・食事・排せつ・着替えがほぼ一人でできる

【好きな遊び】
・「オタク的」な専門分野がある
・とにかく体を動かす遊びが好き
・ゲームに興味を持ち出す

【こんなこともできる！】
・昆虫や両生類にやたら興味を持つ
・今の経験を一生覚えている
・ママが喜ぶことをしたがる

【好きな遊び】
・親よりも友達と遊びたがる
・カード類のコレクション遊びが好き
・ゲーム好きがピークに

【こんなこともできる！】
・あれだけしなかった挨拶ができる
・パパと男同士の世界を作る
・特定の女の子を好きに

男の子のお楽しみ成長表

1〜2歳
元気いっぱい！期

【この頃の男の子】
・どこでも行く、なんでもなめる
・誰が見てもかわいい
・ママなしではいられない

3〜4歳
「おれは男だ！」期

【この頃の男の子】
・何でも思い通りにしたがり、一番扱いづらい時期
・やんちゃがピークに
・なのに「ママ、ママ」と甘えん坊

5〜6歳
すっかりお兄ちゃん期

【この頃の男の子】
・ずいぶん落ち着いてくる
・ママ思いの行動がよく出る
・人格形成がほぼでき上がる

7〜9歳
もういっぱしの男！期

【この頃の男の子】
・荒っぽさよりやさしさが目立つ
・頼もしい「男らしさ」が出てくる
・親よりも友達の真似をする

お父さんと男同士、楽しく遊んでもらおう

★体力勝負の遊びはお父さんにお任せ

男の子は、その考え方や行動、趣味や気に入るものがお父さんと似ているものです。子どもと同性であるお父さんにとっては、息子さんのすることなすこと、そのすべて自分が通ってきた道だからでしょう。

そのため、男の子のすることには非常に理解を寄せやすいものです。お母さんが怒り心頭になるようなことを子どもがしでかしたときでさえ、お父さんはなんとも思わず、のんきにしていることが多いもの。

一緒に買い物に行って帰ってくるだけでも、その男の子は、お母さんと行ったな

らばその間に20個もお小言を言われたのに、お父さんと行ったときは0回なんてことも、実際ザラにあります。

まさに似た者同士、気が合う者同士、おたがい何も気にならない者同士だからでしょう。

男の子の子育ては、そんなお父さんの出番を多くするのが大きなポイントです。

たとえばサッカーや野球ごっこ、昆虫やザリガニ、カエルの世話、怪獣ごっこのパンチやキックを受ける役……。**男の子の必須科目であることはわかっていても、お母さんにとっては苦手、というものはけっこうたくさんあります。**

すべてお父さんに上手に任せてしまいましょう。

女の子を持ったお父さんは、お人形ごっこやおままごと遊びに1時間も2時間も付き合わされることが多く、私の周りのお父さんも「もうかなわんわ」とよく言っています。

その点、男の子相手の遊びは、自分の得意分野ばかりのはずです。

自分も楽しみながら付き合うことができます。

★夫の家事分担は少ない方がやりやすい⁉

子育てでも家事でも、家庭のことは、そうやって夫婦力を合わせてやっていくのが一番だと思います。

私たちの時代と違い、近頃は育児や家事に協力的なお父さんが多いようです。そうはいっても、完全にフィフティ・フィフティ、50対50の割合で家庭のことを分担できているご夫婦は少ないでしょう。

実際のところ、夫の協力度は20〜30％がいいところではないかと思います。つまり50対50どころか20対80、よくって30対70。

けれども、考え方によっては、これほどやりやすいことはないのではと思います。80対20や70対30で動いているからこそ、奥様方は家事と子育てで主導権を握り、なんでもほぼ自分の好きなようにできるのです。

もし、これが50対50だったらどうでしょう。

たとえば、もし料理を夫と完全に半々に分担していたならば、お鍋の置き場所すらモメるかもしれません。「こんな調味料いらないよ」「また賞味期限が切れてる」など、いちいち文句を言われ、やりにくくて仕方なくなります。

育児についても同様です。もしも半々ならば、子どものヘアスタイルも相談して決めなければならないし、洋服選びも当然夫の趣味がかなり入ってきます。

リーダーは奥様方でいいのです。**旦那様は20～30％しか担っていないのですから、家事・育児の決定権はあまりない**のです。だから、奥様方は自分の好きなようにやっていいのです。また実際、そうなっているはずです。

自分の好きなように家庭を運営できる、それこそ主婦の醍醐味ではないでしょうか。決して、家事をしない夫である私の言い訳ではなく……。

どうぞリーダーとして、何でも好きなように決めていってください。

そして、お父さんの家庭での最大の仕事は、子どもと遊ぶこと。大いに活躍してもらいましょう。体力勝負の子ども相手、それを任せられるだけでも、ずいぶんラクになるのでは？

パパの子育て協力度チェック

近頃のお父さんは昔と違い、ずいぶん子育てに参加しています。でも、「頑張り度が足りない」と言う厳しいお母さんも。これは、お父さんの子育て協力度がズバリわかるチェックリストです。こっそりチェックしてみましょう。

1 おしめや着替えの世話をよくしてくれる（してくれた）□
2 トイレやウンチの世話をよくしてくれる □
3 ミルクや食事の世話をよくしてくれる □
4 子どもと一緒にお風呂によく入ってくれる □
5 子どもを寝かしつけることができる □
6 子どもに絵本をよく読む □
7 子どもによく話しかける □
8 戦いごっこやスキンシップ遊びをよくする □
9 とかく二人は笑い合っている □
10 子どもと二人でよく出かける □

6つ以上○がつけば、子育てに十分協力的。
6番以降はお父さんの得意分野のはずです。
子どもが好きでさえあればできることばかり。
お母さんはどれが○でも大助かりでしょう。

第5章

子育てがラク～になる、ちょっとした考え方

子育てに「プラス思考」を

★考え方次第で悩みやイライラはす〜っと消える

「プラス思考でいきましょう」「ものごとはプラス思考で」……。

プラス思考という言葉はよく聞かれますが、実際に実行している人は案外少ないように思います。具体的にはどうするのかまで書かれたものが少ないからかもしれません。

私は、もともと「プラス思考」に興味があり、いろいろ研究したり実践したりしながら、自分なりの方法を見つけました。今は、プラス思考の生き方をマスターしたおかげで、悩みごとやイヤなこととは無縁な日々を送っています。悩み、困ったこと、イヤなこと……いずれもこの10年、何も感じたことがありません。

いや、実際はそれらのもとは私に起こっているのでしょうが、プラス思考で考える習慣がついているおかげで、何が起こっても、それが悩みごとやイヤなこととして心の中に入ってこないのです。

そんななかで、プラス思考は子育てにも応用が効くことがわかってきました。

お母さんを悩ませ、なにかと大変な子育てこそ、プラス思考でやっていくべきなのではないかとも思いました。

そこで、とくに男の子の子育て真っ最中のお母さん方に、ぜひとも私の「プラス思考の子育て」とでもいうものをご紹介し、子育ての中で生じるいっさいの「悩み」や「困った」から、解放してさしあげたいと思っています。

これを実行すれば、息子さんは昨日までとまったく何も変わっていないのに、お母さんの悩みやイライラがウソのように消えていく……いや、それどころか楽しくなってくるのです。

８つあります。

子育てで悩みがやってきたときは、ぜひこのどれかを活用してください。

実際にそれが起こってから悩む

★「○○になったらどうしよう」の9割は起こらない

「悩み」の正体は、その大半が「心配ごと」です。

でも大丈夫。「心配したこと」って、その9割以上は実際には起こらないのです。

「心配ごと」というのは、自分で心の中に勝手に起こしているものです。架空のものです。なのに、

「こうしたら、きっとこうなって、ああなって……ああ、どうしよう、もうダメ」

「こんなことを言ったらきっとこう思われてしまう……」

などと、自分ひとり、その架空の映像を見て悩んでいるのです。

実際には起こりもしないことに、ハラハラしたり心配したりするのはバカらしいとは思いませんか？　それでは心がいくつあっても足らなくなります。実際起こったものだけに心を費やし、悩んだり対処法を考えたりすればいいのです。

「実際に起こってから悩もう」「起こったものだけを考えよう」と思うだけで、一気に苦労は10分の１になります。

そして、心配通り起きてしまったその１割すら、たいていなんとかなるものです。

もし、「１カ月前に悩んでいたことを思い出してください」と言われても、おそらく思い出せないでしょう。１カ月前にも、小さなものも入れると10個以上は不安や心配ごとがあったと思います。そのうち９個は起こっていませんが、１個ぐらいは起こっているはずです。

けれども、それすら思い出せないのは、起こってもなんとかなったからです。心配的中！で起こったのに、起こってみると、案外なんでもなく、すぐに解決できたか、十分我慢の範囲内で、自分で引き受けることができたからです。

だから、起こってから悩んでも大丈夫なのです。

★心配するだけ損です

「この子はいつも動き回って落ち着きがない。ずっとこのままだったら、どうしよう……」

大丈夫、さっきも言ったようにその心配は9割当たらないのです。

ほとんどの子どもは小学1年生にもなれば、落ち着いて授業の聞ける普通の子どもになっているものです。1年生になっても今のままだったら、そのとき初めて悩みましょう。**そうなる確率は1割未満だし、落ち着きがなかったらなかったらで、なんとかなっているもの**です。

「1歳2カ月になっても歩かないけど、大丈夫かしら」

3カ月後に歩いたら、そんな心配をしていたことなんか、ケロリと忘れてしまっているはずです。

「家で幼稚園の話をしないけど、園が楽しくないのかしら。もしかしたらいじめられているのかも……ああ、心配」

そんなお母さんは、まずは先生に園での様子を聞き、実際に園生活を楽しめていないとわかったら、悩めばいいのです。でも、たいていは「園ではとても楽しそうですよ」という返事が返ってきます。それこそ９割の確率で。


女性はよくこう言いますね。

「なあんだ、心配して損しちゃった」

心配したことが起こらなかったら、たしかにそう思ってしまいますよね。

本当に損しちゃいます。だから起こってから考えればいいのです。

起こったものにだけ悩めばいいのです。

わが子が保育園でケガをしたと連絡を受けたことがありました。私は、もしそれが大ケガだったら心配しようと考えて、そのときは何も心配しませんでした。案の定、全然たいしたケガではありませんでした。心配しなくてよかったと思いました。

心配ごとの９割は、本当に当たっていないのです。

何が起きても「なんでもないこと」だと思う

★明日にはどうせ忘れてしまうことです

子育てをしていると、毎日、いろいろなことが起こります。子どもがおもらししたり、牛乳をこぼしたり、言うことを聞かなかったり……。

でも、いちいち「もうっ！」とイライラしたり、腹を立てていては、きりがありません。では、どうすればいいか？

すべて、なんでもないことだと思って気にしないことです。

「えらいお坊さんじゃあるまいし、ムリです」

いいえ、ムリではありません。

では試しに、そんなに気にしないといけないことばかりだったのなら、昨日もおそらく10回以上は言った「もうっ！」の、その原因となったことをその半分でも書いてみてください。

思い出せませんよね。つまり、そのひとつひとつは1日経ったら思い出すことさえできないくらいの、どうでもいいことばかりだったからです。

もしもそれが、本当に腹が立って仕方がないものばかりだったなら、覚えているはずです。

でも、思い出せない。

昨日起こったその「もうっ！」と言ってしまったものすべて、今思えばたいしたことのないことばかりだからです。なんでもないことばかりだったからです。

今、腹が立っていること、「もうっ！」と言ってしまったことも、明日の今頃になれば、必ず忘れています。ならば今、忘れたらいいのです。

何か起こっても、「これは、明日になればもう思い出せないほどの、なんでもないこと」。そう思えばいいのです。

じつは、この本の原稿を新幹線の中で書いていたとき、ちょうど1章分が書き終わったと思ったら、突然パソコンの電源がバチッと切れてしまいました。せっかく書いた1章分が消えてなくなってしまいました。

「ああ、どうしよう。せっかく何時間もかけていい文章が書けたと思ったのに」

……。私はショックで呆然としてしまいました。

しかし、1分も経たないうちに立ち直りました。

「まあ、いいや、家に帰ってまた書こう。これってなんでもないこと。明日の今頃は忘れているよ」。そう思ってコーヒーを注文し、ゆっくり飲むことにしました。とても優雅な気分になりました。

家に帰って書き直したので、その日は2時間ほど睡眠時間が減りましたが、内容を覚えていたので早く書け、しかも前よりもいいものが書けました。

あのとき落ち込んだりして、ストレスをためなくって本当によかったです。

子どもが床に牛乳をこぼしても「なんでもないこと」と思えれば、さっさと気持ちを切り替えて拭いてしまうことができます。そして、拭いてしまえばもう終わり。明日どころか、3分後には忘れてしまうような「なんでもないこと」になるのです。

男の子の困った！Q&A

Q 食事にとても時間がかかります。姿勢も悪く、すぐウロウロ。来年から幼稚園なのに……（３歳）

A 原因を探り、それをさせないための具体的な言葉をかけて

食事に限らず、子どもはその行動のすべてを家庭と園とでいい意味で使い分けるようになるので大丈夫なものですが、食事が遅い子どもには、共通点があります。

「箸を休める時間が長い」「ひと口が小さい」「お口もぐもぐが遅い」「姿勢が悪い」「遊びやおしゃべりが多い」のどれかです。

その原因を探り、それをしないようにする具体的な言葉をかけることで、かなり早く食べられるようになります。

たとえば箸を置く時間が長い子どもには「お箸は置かずにいつも持って」、男の子に多いウロウロや遊び食べには「はい、ここに戻ってきて」「はい、遊ぶのはおしまい」と、するべき行動を具体的に言うわけです。

毎回繰り返すうち、ずいぶん改まってくるものです。一番効果のない言葉が「早く食べなさい」です。

すべて自分の都合のいいように考える

★子どもが部屋を汚したら「掃除をするいい機会」

イソップの寓話に『酸っぱいブドウ』というのがあります。

たわわに実っているおいしそうなブドウの下を通りかかったキツネが、ブドウを取ろうとジャンプしたが、何度ジャンプしても届かず、しまいには「フンッ、どうせあのブドウは酸っぱいから取れなくってもいいんだ」と負け惜しみを言って去っていく、というあのお話です。

一見、負け惜しみとも取られるその言葉を発したキツネのその考え方こそが、自分にやってきた「イヤなこと」をストレスにしないための、とってもいい考え方なのです。心理学でも、それは自我防衛機制と呼ばれる人の心のメカニズムの中のひとつ、「合理化」と呼ばれています。

人は、何が起こっても「これでよかったんだ」と思うことで、ずいぶんストレスから解放させるのです。

通勤に2時間かかる人が、「おかげで毎日1冊本が読める」と言うことがよくあります。それもすばらしい考え方です。ホントはイヤなはずの遠距離通勤が、そう考えることで、まったくストレスのもとにならなくてすむのですから。

子育てのなかで起こるイヤなことも、同じように考えればいいのです。

たとえば、息子さんがズボンに砂をたくさんくっつけて部屋に入り、部屋中砂だらけにしてしまったら、「掃除をするいい機会になった」と思えばいいのです。

部屋の中で元気に暴れ回っていたら、「この子はこんなに元気だから、大きな病気もしないんだわ」と思うのです。

イヤなはずのものが、むしろ喜びにさえなっていきますよ。

なんでも、自分の都合のいいように考える。

まさに「これでいいのだ」です。

悩みは「人ごと」にすると、いい解決策が見つかる

★友人が相談してきたらどう答える？

子育てをしていれば、日々悩みの種は尽きません。

まして、男の子を育てているお母さんは、「もうっ！　どうしてうちの子はいつもこうなの」「どうして○○できないの」と悩まされる回数も多いことでしょう。

こんなとき、自分のその悩みをそっくりそのまま、友人から相談されたら自分はどう答えるだろうか、と想像してみてください。

たとえばもし、

「うちの子ときたら、児童館で遊んでいても、お友達の積んだ積み木を崩して、す

ぐに投げちゃうのよ。どうして仲良く遊べないのかしら……」

と、本当は自分が悩んでいる問題を、友達から相談されたら、自分はどう言うだろうかと考えるのです。

きっと、こんなことを言うのではないでしょうか。

「まだ小さいんだもの、そんなものよ。とくに男の子は元気だし。別に、お友達をケガさせたりはしていないんでしょ?」

「あなたが代わりに相手の子とお母さんに謝まれば大丈夫よ。子ども同士のことだし、あちらのお母さんも気にしていないでしょう」

「まだお友達と遊ぶのはむずかしいから、今度はなるべく他の子と離れた場所で遊ばせるようにしてみたら?」

あなたは、友達の質問に親身になりながらいろいろアドバイスしてあげますね。人にはそうアドバイスしてあげるのだったら、同じ言葉を自分にも言ってあげればいいのです。自分が考えたものなのだから納得もしやすいはず。

「まだ小さいんだし、今お友達と仲良くできないのは仕方ない。積み木を崩すのも、楽しいのかもね。でも、お友達には申し訳ないから、今度は他の子から離れた場所で遊ばせるようにしよう」

さあ、もう解決策が見つかりました。

自分の悩みには、誰でも客観的になれないものです。「どうしよう」「困ったなあ」で止まってしまい、その先の解決策になかなか辿り着けません。

けれどもこのように、他人への悩みごとには客観的に、しかも役に立つアドバイスができますよね。

悩みの袋小路に入ってしまったときは、「これが友人の相談ごとだったら」と考えてみるのがオススメです。

迷ったときは、どちらを選んでも大正解！

★ポイントは、選んだ方を後悔しないこと

「そろそろ子どもを保育園に預けて、働きに出ようか。それとも、もう少し一緒にいてあげるべきかな……」

子育ての場面では、どちらがいいのかで迷うことが多くあります。

結論から言えば、どちらがいいか迷ったときは、どちらを選んでも大正解です。

自分がいいと思った方、やりやすい方を選べばいいのです。

ただし、それが大正解になるかどうかは、自分次第です。「選んだ後、それを後悔しないこと」が大切なのです。あっちにすればよかった、と選んだ方を後悔して

しまうと、その選択は「正解」ではなく「失敗」になります。

あなたがどちらがいいか悩む2つの選択肢は、どちらにもメリットが5つずつは備わっています。

子どもを保育園に預けて、働くことを選んだのなら、「離れている時間が長い分、一緒にいる時間を大切にできる」「お金を稼ぐことができる」「子どもも保育園でいろんなことを学べる」などのメリットがあります。それを存分に楽しめばいいのです。すると、働きに出るのを選んだことが大正解になります。

働かないことを選んだなら、それはそれで大正解です。

「子どもとたっぷり一緒にいてあげられる」「家のことに時間と手間をかけられる」「節約のしがいがある」など、働かないことを選んだからこそやってくるメリットを十分に味わう。

働きに出ることを選んだのに、「長時間離れるのはかわいそう」と思ったり、「保育園の集団生活ではすぐに病気にかかる」など、**デメリットばかりを考え、それを**

後悔していると、その選択が「失敗」になります。

働かないことを選んだときも同様です。「家計が大変」「自分ひとりの時間が持てない」などと、デメリットにばかり目を向けていたら、それを選んだことがまさに「失敗」となります。

選んだからには、こちらを選んだからこそ、いいことがたくさんやってきた。こちらを選んでよかったあ、と思っていればいいのです。

これまでも、あなたが選んだものは、いつも全部正解だったのです。

「一番の願いはかなっている！」ことに感謝

★生まれたときは「元気であればいい」だったはず

子育ての悩みは、そのほとんどがお母さんの希望・願望です。

「もう！　この子はすぐにマンションの廊下を走るんだから！　どうしたら走らなくなるかしら」

と悩んだときは、「廊下を走らない子になってほしいな」と願っているのです。

「悪い言葉を使わないようにするにはどうしたらいいのかしら」

と悩んだときは、「悪い言葉を使わない子になりますように」と望んでいるのです。

でも、子育てでお母さんが願うこと、こんな子だったらいいのになと望むことは、そのほとんどはじつは贅沢な望みのように思います。

息子さんが生まれた直後のことを思い出してください。そのときの一番の望みは何だったでしょう。おそらく、すべてのお母さんは、

「この子が、健康で明るくすくすく元気に育ちますように」

が一番の望みだったと思います。

「この子が廊下を走らない子どもになりますように」とか「汚い言葉を使わない子どもになりますように」「好き嫌いを言わない子どもになりますように」なんて願わなかったですよね。仮に願ったとしても、45番目とか１００番目とかの願いだったはずです。

「この子が、健康で明るくすくすく元気に育ってほしい」

この一番の願いは、じつはかなっているのです。

その願いがかなっているからこそ今、子どもは廊下を走り、少々汚い言葉かもしれないけれど、しっかりしゃべることができ、好き嫌いを言いながらも一人で食事をすることができているのです。

子どもが生まれたときにかけた一番の願いが、今まさにかなっているありがたさ

なんかすっかり忘れ、そのときは45番目や100番目の、かなわなくてもいい程度の小さな望みを今、必死に実現させようとしているのです。

一番の望みはかなえられたのです。なんとすばらしいことでしょう。

本当は24時間笑顔でいられるくらい、ありがたいことなのです。

そのイライラのひとつひとつは、本当はどれもニコニコのもとだったのです。

一番の願いをかなえてくれた神様に感謝！　すくすく育ってくれた子どもに感謝！　です。

「ないもの探し」をせず「あるもの満足」を

★「ないもの探し」では文句ばかりになる

ある知人の女性の話です。

彼女の次男は、全身麻痺でまったく動けない子として生まれました。医師から１週間生きられないでしょうと言われました。しかし１カ月生きました。さらに１年経ちました。そして15歳になった今も、立派に生きています。

しゃべらないし、自分では食べられないし、トイレも何もひとりでできませんが、ご両親はかわいくて仕方がありません。何もできないのですから、普通ならば、その姿には不平不満がいっぱいあるはずの子どもです。

なのに、息子が今生きていることに感謝し、少しでも笑うととてもかわいらしく、それがまた喜びとなり、もうたっぷりの愛情を注ぎながら育てています。

一方、長男は健康で元気な男の子として生まれました。ところが、その長男が幼い頃には、いつも怒ってばかりいたそうです。文句ばかり言って、ときには「こんな子生まれなければよかった」とさえ思ったこともあるそうです。

しかし、弟が生まれて、彼女はお兄ちゃんに申し訳ないと思いました。

「今から思えば、お兄ちゃんは何でもできた。ちゃんとできた。文句なんか何もなかったはず。なのに、なんであんなに怒ってばかりいたんだろう。あのときに戻ってお兄ちゃんに謝りたい……」

そんなふうにさえ思ったそうです。

そのお母さんは、お兄ちゃんには「ないもの探し」ばかりをしていたのです。だから怒ってばかりいたのです。

ところが障害のある弟には「あるもの満足」の考え方で育てているのです。だからちょっとしたことでうれしくなれるのです。

本当、子どもって、今いてくれるだけで、とてもすばらしいことなのです。

★今のままでも十分幸せ

お母さんというのは、とくに男の子には「ないもの探し」をしやすいものです。

あれもしない、これもしない。なのによけいなことだけはしてくれる……。

しかし、子どもを見てください。じつに「あるもの満足」が上手です。

保育園では夏のプールは、どの子も大喜びです。10人も入ればいっぱいに見えるような、狭くて浅いプールですが、20人30人で入っても不平や不満を言う子はひとりもいません。むしろ笑顔だらけです。

そのプールの中には、不満どころか自分

を満足させてくれるものがたくさんあるからです。狭いためにお友達とぶつかっても、それがまた笑顔のもとになっています。

ところが、大人からは、先生からも保護者からも毎年、ふた言目には「狭いね～」「浅いね～」「すぐにぶつかって泳げないね～」と、文句の言葉ばかりが出てきます。

家もそうです。大人は、「駅から遠い」「近くにコンビニがない」「狭い」「汚い」と文句ばかりを言いますが、子どもは自分のおうちが大好きです。

駅から遠いことなんて、なんとも思いません。コンビニがなくっても平気です。不便とは思わないのです。それどころか、いつもすぐに「おうちに帰りたい」と言ってしまうほど、子どもにとってはすばらしい家なのです。

お母さんやお父さんに対しても、そんなふうな見方をしています。**お母さんやお父さんに足りないところがあっても気にせず、子どもは、いいところばかり見ています。**だから、お母さんもお父さんも大好きです。

「ないもの探し」をせず、いつも「あるもの満足」の生き方をしているからです。だから毎日、あんなに笑顔が多いのです。不満点をわざわざ探したりしないのです。

大人は「ないもの探し」がクセになっています。

何を見ても、何がやってきても、その口から出るのは感謝の言葉ではなく、まず文句、となってしまいやすい大人が多いのはそのためです。

「あるもの満足」。それは、言葉を変えれば、**「本当は今、自分が幸せなのに気づく」**ことです。

「ないもの探し」ばかりしていては、自分に今ある幸せに目を向けないことになってしまいます。そんな人は、本当は今のままでも十分に幸せなのに、自分で勝手に不幸を探し、自分は不幸だとばかり言うようになってしまいます。

わが子に対しても、ぜひ「あるもの満足」の目を投げかけてやってほしいと思います。

それだけで、たくさんの感謝の気持ちと笑顔がやってくるはずです。

Q 人の話を全然聞いていません。注意をしても上の空。「はい」「わかった」など、返事だけはいいのですが（5歳）

A 普段の接し方を振り返る機会。誰の話も聞けないなら専門機関に相談を

単なる不注意、ということも考えられますが、普段からお小言が多いお母さんの子ども（とくに男の子）は、そうなってしまうことがよくあります。

過去の経験から、お母さんが何か言ってきたらお小言ばっかりで、耳を傾けて聞けば聞くほど馬鹿を見る、聞かないのが一番！と思っていることもあり得ます。

また、何か言い返すたびに3倍の言葉が返ってくる、もしくはよけいに怒られる、というようなことが続くと、黙り込むか、とりあえずいい返事をしておくのが得策、と子どもは学習します。

もしも、お母さん以外の人の話でも全然聞いていないというのであれば、まれに聴力に問題があったり、注意力欠陥であったりすることもあるので、様子を見て、一度専門医にも相談してみましょう。

子どもが小さいうちは、見逃していい瞬間はない

★今が一番かわいいとき

０歳から６歳の間ほどかわいい時期はありません。

子育てがすっかり終わった50歳代、60歳代の女性は誰でも、そんな小さな子どもを見ると「子どもってかわいいわあ。もう一度子育てしたいな」と言います。

子育て真っ最中のときは、髪の毛を振り乱しながら必死な毎日だったけれど、振り返ってみると、それは自分がもっとも輝いていたすばらしい日々だったことに気づくのです。

息子さんが成人した頃、２歳の頃の写真を見て、「わあ、めちゃくちゃかわいい」

とお母さんは思います。もちろん子育て中も、かわいいとは思っていたのですが、それが当たり前すぎて、そのかわいさを十分に味わっていなかったことに気づくのです。

私は、「子育てって楽しめる部分がいっぱいあるのに、お母さんたちが、それを十分味わっていないのはもったいない」と思うことがあります。

たとえば、1、2歳のよちよち歩き。あんなかわいい歩き方はありません。子どもがよちよちと通りを歩いているだけで、通りすがりのおじいちゃん、おばあちゃんたちはみんなニコニコします。かわいいからです。

私の娘が4歳になる頃です。保育園にお迎えに行くと、先生から「明日の娘さんのお誕生日会で、パパからのメッセージを発表するので、娘さんのかわいいところを3つ言ってください」と聞かれました。

私は言いました。「まず、顔がかわいいです」と答えました。ここで先生がプッと吹き出しました。私は続けました。「2つ目は、声がかわいいです」「3つ目は、することと言うことがかわいいです」。先生は笑いながら、メモしていました。

親バカですねえ。でも、本当にそう思ったのです。

★親バカのススメ

私は子どもがひと桁の年齢のときは、親バカでいいと思っています。

親バカの親がすることや言うことは、子どもから見ると、すべてうれしいこと、自分が愛されていると思うことばかりです。

でも、子どもは10歳になると、ギャングエイジと言われる時代を迎え、親バカを続けたくてもできなくなります。親の手を離れ、子ども同士の世界へ行ってしまうからです。

でも、そのとき子どもは「たっぷりかわいがってくれてありがとう。でも、もういいよ。ひとりでなんでもできるよ」と、**それまでたっぷりもらった愛情を糧に、自分に自信を持って離れていく**のです。

どの親も、子どもが10歳になるまではみんな親バカになって、心の底からわが子をかわいがったら、虐待なんかもこの世からいっさいなくなるのになあ、などと真剣に思っています。

子どもはとくに0歳から6歳の間の1年ずつは、大人の10年ずつに匹敵するくらい、ものすごく成長し、変わっていきます。

でも、どの時代にもそれぞれ違うかわいらしさがあります。**2歳には2歳のときにしかないかわいらしさ、3歳なら3歳のときにしかないかわいらしさがあります。**2歳と3歳では全然違う姿を見せてくれます。それこそ大人の20歳と30歳くらいの違いがあります。

それぞれの1年間はあっという間に過ぎていきます。子どもが小さいうちは、見逃してもいい瞬間なんかないのです。

子どもが小さなうちは、今しかないそのかわいらしさを十分に味わい、その愛情を親バカという形でもいいので、たっぷりと子どもにかけてほしいと思います。

★後悔しない子育てを

「今だったら子育てがうまくいくような気がする」

「今なら楽しく子育てができる気がする」

という女性は多いものです。

そういう女性は、子育てを十分に楽しめていなかったこと、そのかわいらしさを子どもが小さいときに十分に味わっていなかったこと、子どもを怒ってばかりだったことなどを、後になって後悔しているわけです。

この本を読んでくださったあなたにはそうなってほしくありません。

そこで、お願いがあります。

今のあなたは、子育てを十分に楽しまなかったことを後悔し、もう一度やり直したいと思っている20年後30年後のあなたが、タイムマシーンに乗って、子育てを再び楽しみにやってきた姿だ、と思ってほしいのです。

子育てを十分に楽しみ、子どものかわいらしさを十分に味わい、子どもをたっぷりとかわいがり、20年後には、子育てに関して何も後悔していない、満足感でいっぱいのあなたがいるようにぜひしてほしいと思っています。

〈著者紹介〉

原坂一郎（はらさか・いちろう）

◇─1956年神戸市生まれ。関西大学社会学部を卒業後、独学で保育士資格を取り、当時では珍しい男性保育士となる。

◇─23年にわたる保育所勤務時代には、どんな子もすぐ笑顔になるそのユニークな保育で、メディアから「スーパー保育士」と呼ばれた。
現在はこどもコンサルタントとして、全国で講演・講座・執筆活動を行う。

「子育てに笑顔を」をモットーに、親を元気づけるメッセージを発信し続けている。家庭では2男1女の父。

KANSAIこども研究所所長、日本笑い学会理事、関西国際大学教育学部非常勤講師等を務める。

◇─著書に『日本一わかりやすい男の子の育て方の本』『「言葉がけ」ひとつで子どもが変わる』（PHP研究所）、『子どもがふりむく子育てのスーパーテク43』（中経出版）他。

〈連絡先〉
KANSAIこども研究所　tel:078-881-0152
http://harasaka.com

言うこと聞かない！落ち着きない！**男の子のしつけに悩んだら読む本**

2010年11月25日　第1刷発行
2013年8月13日　第38刷発行

著　者───原坂一郎

発行者───徳留慶太郎

発行所───株式会社すばる舎

東京都豊島区東池袋3-9-7 東池袋織本ビル　〒170-0013
TEL　03-3981-8651（代表）　03-3981-0767（営業部）
振替　00140-7-116563
http://www.subarusya.jp/

印　刷───株式会社シナノ

落丁・乱丁本はお取り替えいたします

ISBN978-4-88399-968-2 C0037